D0625836

Nous remercions le ministère du Patrimoine canadien,
la SODEC et le Conseil des Arts du Canada
de l'aide accordée à notre programme de publication

Patrimoine   Canadian
canadien   Heritage

ainsi que le Gouvernement du Québec
– Programme de crédit d'impôt
pour l'édition de livres
– Gestion SODEC.

Illustration de la couverture :
Gérard Frischeteau

Couverture :
Conception Grafikar

Édition électronique :
Infographie DN

Dépôt légal : 3ᵉ trimestre 2003
Bibliothèque nationale du Canada
Bibliothèque nationale du Québec

23456789 IML 09876

Soledad du soleil

DE LA MÊME AUTEURE
AUX ÉDITIONS PIERRE TISSEYRE

Collection Conquêtes

«Aïcha», nouvelle du collectif de l'AEQJ
   Entre voisins, 1997.
«Le chat», nouvelle du collectif de l'AEQJ
   Peurs sauvages, 1998.
Le souffle des ombres, nouvelles, 2000.

Collection Chacal

«La belle au bois dormant», nouvelle du collectif de l'AEJQ
   Futurs sur mesure, 2000.

Collection Sésame

Les trois petits sagouins, conte coquin, 1998.
Junior Poucet, conte coquin, 1999.
Niouk, le petit loup, roman, 2001.

Collection Safari

Le crayon et le collier roman, 2001.
Maïa et l'oiseau, roman, 2002.

Collection Papillon

La tempête du siècle, roman, 1998.

Données de catalogage avant publication (Canada)

Delaunois, Angèle

   Soledad du soleil

   (Collection Conquêtes ; 98)
   Pour les jeunes de 14 ans et plus.

   ISBN 2-89051-871-X

   1. Titre II. Collection : Collection Conquêtes ; 98.

PS8557.E433S64 2003   jC843'.54   C2003-941511-2
PS9557.E433S64 2003

Angèle Delaunois

préface de
Madame le juge Andrée Ruffo

Soledad du soleil

roman pour adolescents

ÉDITIONS
PIERRE TISSEYRE

5757, rue Cypihot, Saint-Laurent (Québec) H4S 1R3
Téléphone: (514) 334-2690 – Télécopieur: (514) 334-8395
Courriel: ed.tisseyre@erpi.com

Je tiens à remercier très sincèrement Madame Andrée Ruffo, juge pour enfants, et Monsieur Jean-François Noël, directeur général du Bureau international des droits des enfants, pour leurs très judicieux conseils, leur expérience et leur vision éclairée, Gérard Frischeteau pour le si touchant visage qu'il a donné à Soledad, Éva Sousanna, professeur d'espagnol, Rachel Boisvert, Andrée Charlin, Christel Heitmann, Geneviève Mativat, Gérard Blouin, André Beaudet, Guy Parenteau et Frédérike Parenteau, ma première lectrice, qui m'ont tous aidée, chacun à leur façon, à conduire cette histoire jusqu'au bout.

N.B. : Pour ne pas alourdir le texte avec de nombreuses notes de bas de page, nous avons choisi de faire un lexique espagnol-français à la fin du livre, le contexte étant suffisamment explicite pour que le lecteur comprenne ce dont il s'agit dans le courant de sa lecture.

À Guy Junior,
Jean-René et Éric,
les garçons

« Elle se répand dans ma vie
Comme un air imprégné de sel,
Et dans mon âme inassouvie
Verse le goût de l'éternel. »

Charles Baudelaire (1821-1867),
Les Fleurs du Mal

PRÉFACE

Vous m'avez fait l'honneur, chère Angèle Delaunois, de m'inviter à préfacer votre roman *Soledad du soleil*. Je suis touchée par cette confiance et je vous en remercie.

J'ai lu ce roman, d'abord avec une certaine réserve : c'est ainsi que je suis toujours quand on parle d'enfants, tant j'estime que le respect qui leur est dû doit se manifester de façon absolue. Au fil des mots, des situations, des images et des émotions senties profondément, j'ai connu Nicolas et Soledad et reconnu en eux tant de jeunes que j'ai eu l'occasion de rencontrer dans ma vie, tout d'abord comme avocate, puis comme juge pour enfants.

Vous les avez révélés tels qu'ils sont en eux-mêmes : profondément vulnérables aux abus, particulièrement dans des situations d'extrême pauvreté financière, comme affective, quand les horizons ont disparu derrière l'opacité du présent, les rêves réduits à de furtives minutes d'abandon, les espoirs anéantis par l'exploitation éhontée des enfants, tant par des ressortissants du pays que par des touristes sans scrupules.

Et puis... à travers ces pages d'extrême vérité et de justes dénonciations, voici que le courage des jeunes nous apparaît encore une fois porteur de ces lendemains promis à chacun de nous. Comment croire encore à l'amour ? Faire confiance ? Et à qui, au juste ? Trouver le ciel bleu, la mer sublime, chercher des étoiles souriantes, renaître chaque matin après la nuit de tant de morts ? Comment espérer encore dans la désespérance ? Repartir ou rester avec au cœur un baume, une tendresse, une douceur ?

Vous avez permis qu'encore une fois s'ouvre le cœur jugeant, durci, indifférent, ne serait-ce qu'un instant, à la beauté de la vie, à la grandeur des enfants, à la souffrance des petits comme des plus grands. Vous avez, en ces trop brefs moments de lecture bercés par une écriture parfaite, permis que l'on échappe à cette indifférence qui nourrit, banalise, occulte tant d'abus et que naisse une lueur d'indignation, de compassion, d'humanité.

Pour ce livre d'une grande beauté... pour votre sensibilité, la justesse des situations que vous décrivez avec pudeur, certes, mais aussi avec réalisme dans leur cruelle injustice... pour l'amour que, de toute évidence, vous portez à ces jeunes que vous nous présentez si bellement... pour cette occasion de plaisir, de tristesse, de réflexions et, espérons-le, d'actions efficaces, je vous suis infiniment reconnaissante.

Sincèrement,

Andrée Ruffo
Juge pour enfants

1

Le départ

Nicolas voulait bien se dévouer. Une semaine dans l'île de San Sebastián, au milieu des Antilles, pour escamoter la fin de cet hiver qui n'en finissait plus, il n'avait rien contre. Il accompagnait sa mère, Andréa, qui relevait d'une chirurgie et qui avait grand besoin de se reposer.

En principe, c'était son père qui aurait dû être du voyage. Mais Antoine Fromont était le photographe vedette de l'agence Frontières, spécialisée dans toutes les bestioles rares de la planète. À la toute dernière minute, on l'avait envoyé au diable, dans le Grand Nord, à la poursuite d'une rarissime mouette blanche. Le travail de photographe animalier n'était pas de tout repos et on pouvait compter sur les doigts d'une seule main les semaines complètes où Antoine restait à la maison.

À tout prendre, Nicolas préférait les récifs coralliens des Antilles aux blizzards de la baie d'Hudson, mais pour son père, il en allait autrement.

Le jeune homme se préparait donc à passer Pâques dans une île de soleil qui ne connaissait de la neige que celle des écrans de télé mal réglés… Tout autour, la mer d'un bleu «écœurant» de carte postale, passant du turquoise délavé à l'indigo profond. C'était la première fois qu'il allait dans une de ces îles où l'hiver n'existait que pour les autres et il se voyait déjà, flottant sur cet océan d'azur, au-dessus d'un récif de corail aux poissons psychédéliques, à la recherche d'un trésor oublié.

Il avait donc fait son sac sans rechigner, tout heureux de l'aubaine. Son enthousiasme lui avait valu quelques remarques acidulées de la part de Roxane et de Michel, ses amis de toujours, qui, eux, restaient à Montréal, résignés à patauger dans la bouillie grise, à la recherche d'un bourgeon plus téméraire que les autres. D'après le calendrier, le printemps était arrivé. mais franchement, il fallait le chercher loin.

L'adolescent avait bourré ses bagages de tout ce qu'il pensait utiliser : maillot de bain, t-shirts, jeans, palmes, masque et tuba, baladeur et disques lasers préférés, car il n'était pas très sûr de tripper sur les rythmes latinos qui sévissaient dans les îles. Il avait aussi ajouté un ou deux bouquins et, pour se donner tout à fait bonne conscience, son livre de maths afin de préparer le test que son prof chéri, surnommé «la Bonbonne», lui avait annoncé comme un délice bien épicé pour le retour des vacances.

Il était donc fin prêt lorsque Antoine frappa à la porte de sa chambre pour annoncer le départ. C'était lui qui les déposait à l'aéroport de Mirabel, avant de rejoindre Toronto d'où il s'envolerait pour Churchill Falls.

Pâle et amaigrie, Andréa se sentait tout de même assez vaillante pour entreprendre cette petite escapade avec son grand Nico, mais il était bien entendu, entre le père et le fils, qu'il lui était formellement interdit de porter le moindre sac et que son emploi du temps devait se résumer à des allers et retours entre les chaises longues du bord de la piscine, la chambre d'hôtel et les chaises longues du bord de la plage avec, bien sûr, quelques petits détours par la salle à manger.

Antoine les déposa à Mirabel. Il débarqua les bagages que Nicolas entassa sur un chariot roulant. Il prit ensuite sa femme dans ses bras, lui murmurant des tendresses à l'oreille avant de l'embrasser passionnément. Il adorait Andréa, sa complice de toujours, qui l'attendait avec sérénité, comme une femme de marin, entre ses voyages au long cours.

Ensuite, il donna l'accolade à son grand fils. Il n'osait plus l'embrasser en public mais la chaleur de son étreinte lui disait tout autant qu'un baiser à quel point il lui était précieux. À seize ans, Nicolas l'avait dépassé de quelques centimètres et approchait du mètre quatre-vingt-dix. Père et fils se ressemblaient de façon frappante : minces, pour ne pas dire maigres, encombrés de grands bras et de grandes jambes, les cheveux blond cendré et les yeux d'un vert si pâle que leur regard en devenait presque gênant par moments.

— Salut, mon grand ! Prends bien soin de ta mère.

— Oui, p'pa. Ne t'en fais pas. Merci !

— Au revoir, mes amours, on se retrouve bientôt. Je serai de retour à Montréal quelques jours seulement après vous. Amusez-vous bien !

La Jeep Cherokee s'éloigna dans une brume glacée de neige fondue. Andréa et son fils s'empressèrent de rejoindre la tiédeur

16

de l'aéroport, à la recherche du comptoir de leur compagnie aérienne.

Nicolas installa sa mère près du hublot, puis il lui tendit le magazine qu'elle avait acheté au kiosque de l'aéroport. Il s'assit à côté d'elle. L'espace qui lui était alloué était si exigu que c'est à peine s'il pouvait se tourner sur son siège. Quant à croiser ses grandes jambes, il valait mieux ne pas y penser. Côté couloir, le siège était encore libre et il espérait bien qu'il allait le rester.

L'avion était plein à craquer. Cette place vide à côté d'eux tenait donc du miracle… Hélas! à la toute dernière minute, un homme, ruisselant de sueur et soufflant comme un phoque, balança son bagage à main sur le fauteuil libre.

Nicolas se demanda un instant comment cet individu allait faire pour caser son respectable postérieur dans l'espace imparti et se permit un petit sourire ironique.

Planté au milieu de l'allée, le voyageur prit le temps d'enlever son gros chandail, de le rouler en boule et de l'enfoncer à coups de poing dans le porte-bagages bondé. Ensuite, il essaya de caler son sac à ses pieds, empiétant largement sur l'espace vital de Nicolas qui n'osait trop rien dire. D'une pochette, il extirpa un sachet de noix d'acajou qu'il se mit à grignoter comme un gros écureuil affamé en attendant le départ de l'avion, sanglant sa ceinture de sécurité avec force soupirs sur sa bedaine respectable, non sans gratifier son voisin, au passage, de quelques coups de coude.

Près du hublot, Andréa s'était assoupie. Coincé entre sa mère et l'encombrant inconnu, Nicolas cherchait une position confortable en jetant des regards en coin à son voisin.

«*Plutôt bien rembourré, ce type! Peau luisante et joues rebondies. S'est payé quelques séances au salon de bronzage comme en témoigne la couleur carotte de sa couenne. Chemise à fleurs noires sur fond blanc, largement déboutonnée sur un torse de gorille. Grosse chaîne en or autour du cou. Gourmette au poignet et chevalière à l'annulaire de la main gauche, portant gravée la lettre E. Étienne? Édouard? Emmanuel? Les paris sont ouverts. Cheveux blonds frisottés, probablement teints. Pantalons jaunes, retenus à la taille par une ceinture tressée de style western... avec la chemise, l'effet est garanti!*»

Nicolas soupira. C'était bien sa chance ! Faire le voyage envahi par un Gino pareil. Mais enfin, il n'était pas obligé de lui raconter sa vie ni même de lui dire un seul mot..

Ce n'était pas la première fois que Nicolas prenait l'avion, mais, contrairement à son père, il n'était pas un grand habitué de ce mode de transport. Quatre heures de vol jusqu'à l'île des vacances… L'adolescent ne put s'empêcher d'éprouver au cœur une petite allégresse.

Une chaleur humide, habitée par quelques moustiques, les assaillit dès l'ouverture des portes. L'avion avait roulé sur le tarmac jusqu'à une paillote au toit de palmes qui faisait office d'aéroport et de bureau des douanes. Un peu hébétée, la foule des voyageurs se dirigea vers le petit bâtiment, les chaussures imprimant leur semelle sur le bitume ramolli par le soleil.

Sac au dos, Nicolas, qui tenait Andréa par le bras, apprécia l'ombre fraîche de l'aéroport, brassée par d'immenses ventilateurs suspendus au plafond. Plusieurs policiers à l'air important patrouillaient sans rien faire d'autre, dévisageant le troupeau de moutons des touristes d'un œil suspicieux. Paradoxalement, un seul guichet de douane était ouvert. Il fallait donc faire la queue – normal pour des moutons – et surtout… ne pas être pressé. Après tout, vive les vacances !

Au carrousel des bagages, le jeune homme repéra vite la valise rouge de sa mère, mais dut attendre un peu plus longtemps pour récupérer son gros sac de hockey. À l'instant où il se penchait pour l'attraper, une forte poussée le projeta vers l'avant et il faillit se retrouver, cul par-dessus tête, sur le tourniquet, à faire la ronde avec les bagages. Au tout dernier moment, une poigne vigoureuse le remit sur ses jambes.

— *Sorry !* Excuse-moi, mon garçon !

Nicolas sursauta en reconnaissant son voisin d'avion. L'homme avait déjà entassé deux valises sur un petit chariot et venait d'en happer une troisième. L'adolescent jeta un œil à l'étiquette qui pendait à la poignée : Emilio Conti ! Ce n'était donc ni Édouard, ni Étienne ou Emmanuel, mais un pur produit de la petite Italie de Montréal, cela ne faisait aucun doute. *« Encore lui ! J'espère qu'il n'aura pas la mauvaise idée d'être au même hôtel que nous. »*

À l'extérieur, une rangée d'autobus attendaient les passagers. Plantés à l'entrée de l'aéroport, les représentants des voyagistes brandissaient des pancartes où figuraient les noms des hôtels : Sun Breeze, Blue Lagoon, Beach Club… Sol y Mar… Nicolas repéra vite le sien et, après avoir donné son nom et celui de sa mère au préposé de son agence, il se dirigea d'un bon pas vers l'autobus correspondant à la pancarte, Andréa dans son sillage. En montant dans le véhicule, il ne put dissimuler une petite grimace de contrariété. Vautré sur deux sièges, juste derrière le conducteur, Emilio l'Italo faisait partie de la joyeuse bande qui s'installait en plaisantant sur les banquettes libres.

Lorsqu'il vit Nicolas, l'individu en question le gratifia d'un large sourire et d'une tape amicale sur l'épaule. Après tout, ils étaient déjà de vieilles connaissances. L'adolescent grogna un peu en s'asseyant à côté de sa mère, le plus loin possible.

« Faudra donc faire avec ! Ce serait quand même bien le comble de la malchance que notre chambre donne juste à côté de la sienne. »

L'aéroport étant situé à trente minutes de la petite ville de San Cristóbal où se situaient les villages de vacances, l'autobus s'engagea donc sur la route du soleil, avec son chargement de vacanciers venus du froid… la climatisation à fond afin de ne pas les dépayser trop vite.

2

L'hôtel Sol y Mar

San Cristóbal n'avait vraiment pas l'air d'une ville digne de ce nom. Quelques rues commerçantes à l'asphalte criblé de nids-de-poule, étaient bordées de minuscules échoppes, peintes en couleurs vives, où l'animation battait son plein en cette fin d'après-midi. Entre les voies principales s'étalaient d'informes quartiers de bidonvilles dont les maisons, si on pouvait appeler ça ainsi, étaient faites de bric et de broc. Quelques planches en guise de murs et une plaque de tôle ondulée pour le toit, dans le meilleur des cas. Chats et chiens faméliques, petits cochons noirs, coqs chamarrés et volailles pullulaient partout, cherchant leur pitance sur le sol de terre battue des ruelles.

La désolation des lieux s'accompagnait d'une débauche de végétation : arbres magnifiques où des colonies d'oiseaux se donnaient rendez-vous, buissons aux fleurs tapageuses, jardinets de légumes, tout semblait vouloir pousser à profusion sur cette île de misère et compensait la tristesse des minuscules baraques aux murs croches, prêtes à s'envoler à la moindre tempête.

Sur le front de mer, devant les plages de sable blanc, le décor changeait radicalement. Les rues s'élargissaient, ombragées par des arbres dont les frondaisons se rejoignaient en berceaux de verdure. Des parterres de fleurs bien entretenus jetaient leurs couleurs joyeuses à tous les coins de rue. De chaque côté, des boutiques luxueuses proposaient aux touristes toute une variété de marchandises allant de l'artisanat local – paniers, sculptures, bijoux, tissages, peintures – aux denrées les plus chères et les plus rares des boutiques hors taxes.

Les terrasses des cafés étaient bondées de vacanciers bronzés, en sandales et vêtements clairs, qui tuaient le temps de cette fin de journée en sirotant l'apéro local.

Devant une boutique de vêtements qui alignait ses tourniquets de fringues jusque sur le trottoir, Nicolas aperçut un groupe de jeunes femmes qui papotaient comme des perruches en tripotant les chiffons exposés. Filles des îles, elles étaient joliment habillées de couleurs vives et parées de petits bijoux brillants.

L'une d'entre elles attira immédiatement son attention. Plus petite que les autres, elle avait l'air d'une gamine qui a vieilli trop vite. Sa peau dorée et ses cheveux noirs ondulés indiquaient qu'elle était métisse. En un instant, Nicolas eut le temps d'apercevoir son sourire éblouissant, sa taille d'une finesse extrême, ses longues jambes un peu minces et la séduction extraordinaire qui s'exprimait dans chacun de ses gestes.

« Wow ! Quelle belle fille ! »

Soudain, une moto rutilante vint se garer devant la boutique. Le gentil troupeau de nanas se dispersa immédiatement. Seule, la petite métisse resta sur le trottoir. Le motocycliste lui fit un geste impératif et, sans protester, la fille enfourcha la moto qui repartit aussitôt en pétaradant. La scène n'avait duré que quelques secondes.

L'hôtel portait un nom qui n'avait pas peur du ridicule : Sol y Mar. Construit au bord de la mer, face au soleil couchant, c'était l'évidence même. Pour y accéder, il fallait passer devant la guérite d'un gardien de sécurité et s'engager ensuite dans une allée asphaltée bordée de palmiers, de pelouses et de buissons d'hibiscus.

Le hall d'entrée, très haut, était largement ouvert sur l'extérieur, permettant aux jardins de poursuivre leur route de verdure dans de larges bacs en céramique. Au centre de cet espace, une spectaculaire fontaine, surmontée d'une sirène en bronze, glougloutait dans un bassin recouvert de nénuphars. Le sol en grosses dalles de marbre blanc miroitait, impeccable. Disposés un peu partout dans un ordre faussement improvisé, de larges fauteuils en rotin et des petites tables proposaient des îlots de repos. D'immenses bouquets de fleurs multicolores contrastaient joliment avec le bleu azur des murs et des accessoires, car, dans cet hôtel, tout était bleu.

Dès leur descente du car, la nouvelle fournée de visages pâles fut gentiment poussée vers la réception de l'hôtel. Emilio se précipita pour être le premier, slalomant entre les bagages que les employés s'activaient à aligner dans le hall dans un joyeux désordre.

«Plutôt pénible dans son genre, ce type! C'est quoi l'intérêt de se démener ainsi?»

Nicolas haussa les épaules. Andréa se réfugia dans un fauteuil avec une petite grimace de fatigue. Son grand fils prit place dans la file, loin derrière l'Italo qui faisait de l'œil à l'hôtesse de l'accueil qui en avait vu bien d'autres.

L'attribution des chambres et des bungalows se fit relativement vite. Quand ce fut le tour de Nicolas, il se permit de rappeler les termes de la réservation à la jeune femme souriante qui lui faisait face.

— On a réservé un bungalow à deux lits, très calme, si possible. Tout près de la mer, si possible… C'est à cause de ma mère qui est en convalescence…

— Bien sûr, *señor* Fromont. Vous êtes dans le bungalow dix-sept, à côté de la plage… Très calme, comme vous l'avez demandé, dans le jardin, avec les oiseaux et les fleurs.

Sur le chemisier de la jeune femme, une broche indiquait son nom : «Maria-Lucia». Encouragé par son sourire, Nicolas osa sortir ses trois mots d'espagnol.

— *Muchas gracias, señora* Maria-Lucia.

Le bungalow dix-sept était charmant, tout simple, avec des rideaux bleus, bien sûr, et des dessus de lits tissés. On y accédait par un trottoir de briques qui ondulait dans les jardins. Entourée de fleurs et blottie sous les arbres, sa vaste terrasse faisait face à la mer. La plage se trouvait à une vingtaine de mètres, au plus, et le bruit des vagues était omniprésent et apaisant. Plantés le long de la rive, une rangée de palmiers montaient la garde. Andréa se laissa tomber dans un grand fauteuil et s'émerveilla du coucher de soleil qui marbrait les nuages d'or et de turquoise.

Nicolas, quant à lui, se dépêcha de suspendre leurs vêtements, de poser les trousses de toilette dans la salle de bains et d'entasser tout le bazar qu'il avait emporté dans le fond d'une garde-robe. Puis, troquant ses jeans contre un maillot de bain, il courut à la rencontre de la grande bleue et sauta comme un enfant dans les vagues frangées d'écume qui s'échouaient sur le sable.

D'un crawl puissant, il s'éloigna du rivage jusqu'à ne plus sentir ses bras. Étendu sur le dos, flottant comme un bouchon sur l'eau tiède, il reprit son souffle en regardant le ballet des goélands, loin au-dessus de sa tête. Que demander de plus à la vie?

Soudain, un visage de jeune fille se forma dans les nuées. Nicolas crut y reconnaître celui de la petite métisse aperçue près de la boutique et, pendant quelques battements, son cœur se serra. Il sut alors qu'il allait la revoir et que, par la grâce de son sourire, sa vie ne serait plus jamais la même ensuite.

D'une petite brasse pépère, il revint vers le rivage où Andréa l'attendait avec une grande serviette. L'hôtel s'illuminait. Des petites lampes zigzaguaient dans les jardins, traçant de rassurants chemins de lumière dans le mystère de la végétation folle. On entendait de la musique. L'orchestre devait se trouver quelque part, à côté de la piscine, tout près du bar. C'était l'heure douce où tout reprenait vie après le farniente écrasé de soleil de la journée. C'était l'heure où, reposés, douchés, pomponnés, les touristes s'apprêtaient à flamber leurs nuits.

3

La petite reine

Nicolas se réveilla très tôt. Il avait rendez-vous avec la mer. Sans réveiller Andréa, il se glissa dehors par la porte-fenêtre et se retrouva subitement ébloui.

Tout était bleu… ou presque. Le ciel était purgé de tout nuage et la mer déclinait toutes ses nuances de l'indigo de l'horizon au turquoise du rivage. L'adolescent plongea avec délice dans cette carte postale, nageant avec frénésie jusqu'à la plage de l'hôtel voisin, avant de revenir vers le sien.

Pour se rendre à la salle à manger, il fallait longer la piscine sur un côté et la traverser au moyen d'un petit pont en demi-cercle croulant sous les clématites. Ensuite, on arrivait devant le bar principal où se situait la scène sur laquelle la troupe de l'hôtel donnait des spectacles nocturnes et qui faisait aussi office de piste de danse.

Sur une des chaises longues, rangées au garde-à-vous le long de la piscine, un gros homme ronflait comme un bienheureux, abrité sous une serviette bleue. Nicolas reconnut sans peine Emilio et, lorsqu'il passa tout à côté, l'odeur de rhum qui se dégageait de lui ne laissait aucun doute quant à la cause de son sommeil à la belle étoile. D'ailleurs, plusieurs verres vides et poisseux étaient alignés sur une table basse toute proche.

« Forfait tout compris ! Drinks à volonté. En voilà un qui va en profiter au max et rentabiliser son voyage par tous les moyens. Il est dégueulasse, ce type, avec sa grosse bedaine poilue et sa chaîne en or. Même pas le courage de retourner à sa chambre pour cuver son rhum ! Un vrai pilier de bar. Exemple édifiant à donner aux gens de ce pays. Ça me pompe, des mecs comme lui ! Enfin, tout cela ne me regarde pas. Il n'a pas de comptes à me rendre ! »

À sept heures du matin, ils n'étaient pas nombreux à se précipiter au petit-déjeuner. Nicolas avait une faim de loup et se sentait d'attaque pour dévorer, à lui tout seul, la moitié du buffet proposé. L'assiette bien remplie, il s'assit sous l'immense auvent extérieur de la salle à manger, ombragé par les arbres.

Lorsqu'il fut rassasié, il admira les jets d'eau de la pelouse qui s'irisaient dans le soleil et resta un long moment à observer les allées et venues des mainates noirs dont les croassements ressemblaient à des grincements de poulies rouillées. Il leur jeta quelques miettes de pain et fut aussitôt entouré d'une petite foule avide. L'un d'eux sautillait sur une seule patte, l'autre étant repliée sur son ventre, probablement cassée. Ce qui ne l'empêchait nullement de redresser fièrement sa queue comme une proue de navire pour intimider les autres et de jouer du bec et des ailes pour profiter de la manne. Un vieux de la vieille avec de l'expérience! Nicolas le baptisa illico «l'unipattiste».

Un plateau bien garni dans les mains, Nicolas retourna à son bungalow. Il avait convenu avec son père qu'Andréa prendrait son petit-déj dans la chambre. Sur le bord de la piscine, Emilio était réveillé et buvait un café. Les cheveux en broussaille, les yeux cernés jusqu'au milieu des joues, le teint grisâtre, il semblait plus vieux de dix ans. Il émergeait péniblement du brouillard et, pour une fois, n'avait aucune prétention amicale vis-à-vis de l'adolescent. Nicolas lui balança une petite œillade pas très indulgente, que l'autre ne vit même pas.

Une heure plus tard, rasé, douché et impatient, le jeune homme était prêt à écumer toute la ville. Sans vouloir se l'avouer, il espérait revoir la jeune métisse qui l'avait tant impressionné la veille. Laissant Andréa sur une chaise longue devant la mer, le nez dans un livre, il sortit de l'hôtel de son allure dégingandée et s'engagea d'un bon pas vers le chic quartier des boutiques.

Il n'y parvint pas tout de suite. L'hôtel était plus loin du centre touristique de la ville qu'il ne le pensait et il se promit, pour ses prochaines escapades, d'emprunter une des bicyclettes mises à la disposition des clients. Il marcha donc une bonne demi-heure, sous un soleil de plomb, avant de parvenir au carré des trappes à touristes.

Il était encore relativement tôt et, après avoir parcouru avec attention les quelques rues marchandes de la petite ville, sans avoir croisé âme qui vive, il se réfugia dans une librairie internationale qui proposait des bouquins en plusieurs langues et s'absorba dans la lecture d'un magazine.

Soudain, son attention fut distraite par le bruit lointain d'une pétarade de motocyclette qui se rapprochait de seconde en seconde. L'engin sembla ralentir, tout proche, avant de s'éloigner de nouveau. Nicolas lâcha son magazine et se précipita dans la rue.

Près d'une vitrine qui proposait des colliers de verre coloré et autres colifichets de fantaisie, le groupe de jeunes filles qu'il avait vu la veille papotait avec entrain. Et parmi elles, bien sûr, la jolie métisse qui avait fait une impression si intense sur Nicolas. Mine de rien, il s'approcha de la petite bande. Les filles parlaient à toute allure et il ne comprenait pas un mot. Comment faire pour engager la conversation – en anglais, en français ou avec ses quelques mots d'espagnol – avec celle qui l'intéressait ?

Le hasard et sa maladresse légendaire l'aidèrent. Il ne vit pas la marche du trottoir, trébucha, faillit s'étaler sur le sol et se rattrapa de justesse à un tourniquet qui déclinait des paréos colorés. Les filles éclatèrent de rire en chœur, et, en un instant, Nicolas fut le point de mire du petit groupe. Il était parvenu au résultat qu'il escomptait… même s'il aurait préféré le faire sans se sentir si ridicule.

Rouge comme un coq, il rétablit son équilibre et choisit de rire de sa situation, en plongeant ses yeux verts dans ceux de la petite métisse. Elle lui sourit gentiment et s'approcha de lui. Les autres filles s'écartèrent en pouffant de rire derrière leurs mains et en se donnant des grands coups de coude d'un air entendu. Ce fut elle qui engagea la conversation.

— *Buenas días!*

— Salut!

— Français? *English? Español?* demanda-t-elle.

— Canadien. De Montréal, au Québec. Tu parles français?

— Oui, un peu. J'ai appris avec mon papa.

— Ton père est français?

— Était. Il n'est plus là maintenant.

— Oh! je vois. Et comment tu t'appelles?

— Soledad. Ça veut dire «Solitude» en français. Drôle de nom, hein? Et toi, c'est quoi ton nom?

— Nicolas. Nicolas Fromont.

— C'est la première fois que tu viens à San Cristóbal?

— Oui. Je suis venu avec ma mère.

— *Tu mama?*

— Elle est à notre hôtel. Elle doit se reposer beaucoup. Elle est en convalescence. Et toi? Tu vis ici?

— *Sí.* C'est ma ville. Je suis née ici.

Nicolas ne se lassait pas de la regarder. Elle lui arrivait à peine à l'épaule, incroyablement gracieuse et délicate comme une miniature précieuse.

«Qu'est-ce qu'elle est belle, cette fille! J'aime qu'elle soit si petite et si différente

des autres. *Ses yeux ont une drôle de couleur. Pas noirs comme on pourrait s'y attendre mais plutôt ambrés, hésitant entre le jaune et le brun. Et ils sont immenses. J'aime aussi sa peau d'ivoire foncé et ses cheveux noirs et bouclés qui ont l'air si doux et qui sont attachés avec des barrettes de plastique, comme celles des petites filles. Et son sourire? Éblouissant entre les fossettes, avec des dents aussi blanches. Quel âge peut-elle bien avoir?»*

Il n'osa pas le lui demander. Elle reprit l'initiative de la conversation:

— Tu es à quel hôtel?

— Sol y mar. Et toi, tu habites où?

Elle fit un geste de la main qui ne voulait pas dire grand-chose, en indiquant les quartiers sud de la ville.

— Par là. *Con mi madre y mi hermano.* Je sais où est ton hôtel. J'y suis déjà allée.

— Si tu veux, je t'invite. La mer est géniale. On pourrait se baigner… explorer un peu les environs… Tu dois connaître mieux que moi…

— Merci de l'invitation. Si je peux, je te rejoindrai sur la plage, dans le courant de l'après-midi. Ce matin, *no es posible.* Ça va?

— Certain! Je t'attendrai. On nagera ensemble.

— Mais peut-être que je ne sais pas nager !

— Alors, je t'apprendrai. Si tu veux.

Elle éclata de rire, pirouetta sur elle-même. Sa jupe multicolore s'envola, dévoilant ses longues jambes minces. Après un dernier signe de la main, elle rejoignit ses copines qui piétinaient en gloussant devant la vitrine et n'avaient pas manqué un seul mot de leur conversation. Elle avait l'air d'une petite reine parmi ses suivantes et se comportait comme telle. Le babillage reprit de plus belle et Nicolas préféra s'éloigner.

Il traversa la rue et, avant de reprendre le chemin de retour, il se retourna discrètement vers les filles.

Elle était au milieu du trottoir, Soledad-Solitude, et elle le regardait partir avec un regard curieusement étonné. Du bout des doigts, elle lui envoya un petit signe amical. *«Un salut de papillon, un frémissement d'oiseau du paradis… Un sourire de petite fille exotique. Soledad du soleil ! Qui pourrait rêver d'une plus belle solitude ?»*

Nicolas arriva à l'hôtel au moment où un autobus archi-plein déversait dans le hall un nouveau contingent de visages blêmes. Comme la veille, valises et sacs s'entassaient pêle-mêle dans le lobby et une filée de touristes quelque peu chiffonnés, patientait devant la réception où Maria-Lucia était à son poste. À leur façon de rajouter des e à toutes les fins de phrases et de grasseyer les r, Nicolas devina tout de suite qu'il s'agissait d'un groupe de Français… de France.

L'un d'entre eux était assis à l'écart, dédaigneux de la foule qui se bousculait devant le comptoir. Impeccable dans sa chemise de lin et son pantalon noir, il semblait frais et dispos malgré la nuit d'avion qu'il venait de se taper et lisait un journal espagnol qui prouvait, mieux que des mots, sa bonne connaissance de la langue de Cervantes. La cinquantaine bien entamée, les cheveux grisonnants taillés très courts, des petites lunettes cerclées sur le bout du nez, l'air digne et calme, il ressemblait à l'idée qu'on se fait d'un scientifique. Il plut tout de suite à Nicolas qui lui trouva une certaine ressemblance avec son prof de physique.

L'inconnu leva la tête et dévisagea un moment l'adolescent. Nicolas lui fit un bref salut auquel l'homme répondit par un demi-sourire.

⚓

Assis sur le sable, Nicolas tuait le temps en comptant les palmiers, les nuages, les oiseaux, les bateaux qui traversaient l'horizon, les planches à voile, les pédalos, les vacanciers… bref, tout ce qui pouvait se compter.

Après avoir avalé une bouchée avec Andréa sur le bord de la piscine, il l'avait reconduite à leur chambre car elle préférait se protéger des heures les plus chaudes de la journée. Ensuite, il s'était installé sur la plage et s'était déjà baigné deux fois, n'osant pas trop s'éloigner au cas où ELLE arriverait.

Car il l'attendait. Sans trop y croire mais avec une impatience croissante qui le faisait soupirer, surveiller les environs, et consulter sa montre toutes les deux minutes. Déjà trois heures ! Le soleil tapait ferme et, malgré la lotion solaire dont il s'était tartiné, Nicolas sentait ses épaules rougir. Il battit en retraite sous un des abris de palmes aménagés dans les dunes et finit par se résigner en se traitant de tous les noms. C'était sûr, elle ne viendrait pas. Il était maintenant trop tard. Pour quelle raison viendrait-elle d'ailleurs ? Pourquoi s'intéresserait-elle à lui, en particulier, alors que tous les mecs normalement constitués devaient lui faire des propositions semblables à la sienne ? À son âge, croire encore au père Noël, c'était plutôt inquiétant, non ? Déçu, bougonneux, il finit par s'assoupir sur une chaise longue.

C'est ainsi qu'elle le trouva, la bouche ouverte, le visage apaisé, un livre ouvert sur la poitrine, une main dans le sable. Elle le regarda longuement et se surprit de sa jeunesse. Il était si beau, si grand, si différent de tous ces autres qui lui tournaient autour, avec ses cheveux de soleil et toutes les taches de rousseur qui couraient sur ses pommettes et son nez.

Chatouillé par une intuition, Nicolas se réveilla brusquement et n'en crut pas ses yeux. Vrai! Elle était là. Elle était venue. Un peu gênés, les deux adolescents se dévisagèrent un long moment en silence puis ils se sourirent.

Ils passèrent le reste de l'après-midi devant la mer, à faire connaissance. Ce fut surtout Nicolas qui parla de lui, habilement questionné par sa compagne. Il lui raconta sa famille, ses parents qui s'aimaient tant, ses copains, son école, ses profs…

— Tu as de la chance, finit-elle par dire.

— Pourquoi?

— Parce que tu as tout ce qu'on peut désirer… *todo lo que es importante*… tout ce qui est important.

— Bien sûr que non, voyons…

Il ne continua pas, stoppé dans ses confidences par la mélancolie qu'il lut dans son regard. Il se risqua cependant à la questionner :

— Et toi, tu vas à l'école?

— Pas en ce moment puisque c'est les vacances.

— D'accord, mais tu es en quelle classe ?

Pour toute réponse, elle se leva et fit glisser les bretelles de sa robe soleil, éclatant de rire en voyant les yeux du garçon se dilater. Façon bien à elle de changer de conversation.

— On ne devait pas se baigner ?

— Si… Mais…

— Le dernier à la mer est une poule mouillée…

Elle s'élança en riant et courut comme une gazelle sur le sable brûlant, sa peau brune captant la lumière, les cheveux serrés en chignon sur le dessus de sa tête, son mini-bikini rouge cachant le strict nécessaire. Comme une petite fille, elle s'accroupit dans les vagues avec une grimace craintive. Nicolas ne se pressa pas de la rejoindre, tout au plaisir de la regarder. Lorsqu'il se laissa tomber à côté d'elle, l'aspergeant d'écume, elle poussa des petits cris de souris, faussement effrayée.

— Tu as perdu.

— D'accord.

— Tu me dois un gage.

— OK ! Tu veux quoi ? Que je t'apprenne à nager ? Une fille des îles qui ne sait pas flotter, c'est pas très prudent, ça ? rigola-t-il en barbotant à ses côtés comme un canard.

— Une autre fois. Là, maintenant, j'aimerais mieux quelque chose à manger, si tu veux bien.

— Tu as faim ? s'entendit-il dire, interloqué.

— *Sí*. Je n'ai pas mangé grand-chose ce midi. Comme je voulais venir te voir, je n'ai pas eu le temps de retourner à la maison. C'est trop loin !

— D'accord ! Viens avec moi, on devrait pouvoir trouver quelque chose au bar de la piscine. Ici, il y a des gens qui bouffent tout le temps.

Elle le regarda d'un air suppliant.

— Vas-y, toi, et rapporte-moi ce que tu trouveras.

— Tu ne veux pas venir ? Tu as peur ? Tu es gênée ?

— C'est ça ! Ici, dans les grands hôtels, les gardiens de sécurité n'aiment pas beaucoup que les filles de la ville viennent déranger les touristes.

— C'est ridicule ! Si tu viens avec moi, c'est parce que je t'invite. Personne ne dira rien.

— *Por favor !* S'il te plaît, j'aime mieux ne pas y aller !

Nicolas n'insista pas. Sans même secouer le sable qui collait à son corps, il drapa son paréo autour de sa taille et s'engagea à grands pas dans l'allée qui menait à la piscine. Sous un auvent de palmes, un thé copieux attendait les affamés du *five o'clock*. L'adolescent aperçut Emilio, juché sur un tabouret du bar, sirotant un verre rempli d'un liquide ambré qui n'avait rien de commun avec le thé, à part la couleur. L'Italo semblait remis de sa brosse de la veille et, selon toute probabilité, il s'en tricotait une autre. Nicolas entassa sur un plateau une assiette d'élégants petits sandwiches, des biscuits, deux pointes de tarte au citron, des fruits, sans oublier un pichet de jus de mangue, celui qu'il adorait par-dessus tout.

Soledad l'attendait sur la chaise longue. Elle avait détaché ses cheveux pour les faire sécher. Ils n'étaient pas très longs mais descendaient sur ses épaules en grosses boucles molles et soyeuses. Elle jeta un regard vorace sur le plateau et, sans attendre, se mit à engouffrer la nourriture sous l'œil ahuri de Nicolas.

Il n'avait jamais vu quelqu'un manger aussi vite. Elle avait vraiment faim, cette fille! L'assiette de sandwiches disparut en quelques instants. Elle mit un peu plus de temps à liquider les deux pointes de tarte. Elle ne disait mot, trop occupée à mastiquer et à apprécier ces petits extras luxueux qui n'avaient rien à voir avec son ordinaire. Elle ne regardait même pas Nicolas, comme si manger était une activité trop importante pour s'en laisser distraire. Elle finit son repas par une grande rasade de jus de mangue, à même le pichet, le garçon ayant oublié d'apporter des verres. Sur le plateau, il ne restait que les fruits et les biscuits. Sans lever les yeux, comme si elle avait honte, elle demanda :

— *Puedo?* Je peux ?

— Vas-y, vas-y !

Nicolas avait la gorge serrée. Il aurait été incapable d'avaler une miette, le cœur envahi de pitié. Il se sentait coupable, indiscret… sans trop savoir de quoi. Sans trop comprendre pourquoi. De son sac, Soledad sortit un papier dont elle enveloppa soigneusement les fruits et les biscuits qu'elle rangea aussitôt.

— *Gracias! Es por mi madre!* C'est pour ma mère.

Un peu de jus de mangue dessinait une demi-moustache au coin de sa bouche. Nicolas approcha sa main et, d'un geste très doux, en essuya la trace. Il porta ensuite le doigt à ses lèvres espérant découvrir, au-delà des parfums du fruit, ceux de l'haleine de sa compagne. Geste intime s'il en est, encore plus qu'un baiser. Elle happa sa main, y piqua un petit baiser avant d'y déposer sa joue, lui

45

offrant en tout abandon l'éclat d'un sourire si lumineux qu'il en fut bouleversé.

Comme tous les jours que tissait le temps dans cette île des tropiques, des nuages dorés envahirent l'horizon. Le soleil oblique annonçait la fin de l'après-midi. Le vent se calma un peu et les têtes malmenées des palmiers retrouvèrent leur harmonie. Les oiseaux se turent, fatigués de s'égosiller depuis l'aurore. La mer, elle-même, se permit un petit repos.

« Soledad est partie. Elle s'est échappée en riant. J'ai bien vu que je lui plaisais. Elle savait que j'allais l'embrasser. J'en avais tellement envie. Elle aussi, je crois. Elle est partie par la plage pour rejoindre la route nationale. Il paraît que son frère, le gars à la moto, doit venir la chercher là. Elle ne m'a rien promis. Seulement qu'elle essaierait de venir demain. Existe-t-il une façon d'écourter les heures, la nuit, les rêves pour que le temps passe plus vite ? »

Lorsque la lune se détacha de l'horizon, sa lumière se décomposa en mille virgules de nacre sur la mer d'ébène. Nicolas se leva avec peine et, engourdi de félicité, il se dirigea vers son bungalow.

La chambre était vide. Le parfum d'Andréa habitait encore les murs. Elle avait écrit un mot, informant son fils qu'elle allait au cocktail de bienvenue prévu par le voyagiste et qu'ensuite, elle s'installerait au bar de la piscine pour se gaver de musique latino.

Nicolas prit une douche, vite fait. Il mit des vêtements propres et sortit, quelques instants plus tard, à la recherche de sa mère. Sur le chemin de la piscine, il croisa le gentleman français débarqué le matin même, celui qu'il avait baptisé «le prof» en son for intérieur. Impeccable dans son short et son polo blancs, il sortait d'un court de tennis, une serviette éponge autour du cou, sa raquette sous le bras. L'adolescent lui sourit et engagea la conversation :

— Bonne partie ?

— Plutôt nulle en ce qui me concerne, je suis rouillé. Je n'ai pas joué depuis l'an dernier tandis que Carlos, le pro de l'hôtel, il joue tous les jours, lui.

— Si vous avez besoin d'un partenaire à votre niveau, je suis partant. Moi aussi, je suis plutôt poche dans ce sport.

— Merci de la proposition. Tu es québécois ?

— Oui. Et vous, vous êtes français… ça s'entend !

« Le prof » éclata de rire et de petites rides joyeuses mirent ses yeux entre parenthèses.

— Je me présente : Maurice Bellec. Et toi ?

— Nicolas Fromont. Je suis en vacances avec ma mère. Elle se remet d'une opération et comme mon père ne pouvait pas l'accompagner, je me suis dévoué pour la bonne cause.

— Tout un dévouement ! J'espère que ce n'est pas trop pénible pour toi, répliqua le Français avec ironie.

— Ça peut aller mais je suis d'accord avec vous ! Ce n'est pas le bagne ici. Vous êtes déjà venu à San Sebastián ?

— J'y viens tous les ans, depuis bientôt quinze ans. Mais c'est la première fois que je séjourne dans cet hôtel.

— C'est plutôt bien, non ?

— Oh ! tu sais, dans ces îles, tous les hôtels finissent par se ressembler et offrent à peu près les mêmes avantages.

— Vous restez longtemps ?

— Deux semaines, peut-être trois, ça dépendra. Je prends toujours des vacances aux alentours de Pâques. J'habite en Bretagne, à Nantes, et à cette époque de l'année, c'est le déluge. J'en ai ras le bol de la pluie et du ciel gris.

— Chez nous, à Montréal, c'est pas tellement mieux. On est encore en plein hiver.
La neige n'est pas fondue complètement et
ça va prendre encore quelques semaines
avant qu'on voie un peu de verdure. Quand
on débarque ici, ça fait tout un contraste.

— Bien d'accord avec toi. Si tu veux, on
peut se retrouver demain, vers cinq heures,
pour taper quelques balles. À cette heure-là,
le terrain de tennis sera à l'ombre. Ça nous
évitera de cuire au soleil.

— Entendu, monsieur Bellec.

— Si tu n'as pas de raquette, Carlos t'en
prêtera une. Forfait tout compris. Allez, je
te quitte. J'ai besoin d'une bonne douche.

— Bonne soirée et à demain… On se
verra peut-être à la salle à manger… pour
souper.

— Peut-être, mais je dîne toujours très
tard. Je n'aime pas être bousculé par la
cohorte des affamés.

Sur un signe de la main, le Français s'éloigna d'un pas vif. Nicolas le suivit des yeux
et remarqua qu'il entrait dans le bungalow
voisin du sien. Il était vraiment bien, ce type.
Sympathique et ouvert. Un peu fier, sans
doute. Et c'était plutôt *cool,* cette invitation
à échanger des balles. Finalement, ce petit
voyage promettait d'être plus intéressant que
prévu.

Andréa était assise à une table, près de la piscine, un verre rempli de glaçons, de rondelles de citron et de feuilles de menthe devant elle. Elle raffolait des boissons exotiques. Elle riait aux éclats. Assis en face d'elle, Emilio l'Italo faisait le coq. Il brillait de tous ses feux, dans une chemise rouge et noire, décorée sur toute sa hauteur d'un samouraï japonais grimaçant. Son visage avait pris une teinte cuivrée bien assortie et ses cheveux frisottés étaient soigneusement aplatis avec du gel. Et, bien entendu, il s'était inondé de lotion après-rasage. Impossible de le manquer, même les yeux fermés !

Nicolas happa au passage un verre de *piña colada* sur une desserte et, l'air renfrogné, il se planta à côté de sa mère. Il lui posa une main sur l'épaule. Elle se tourna vers lui, radieuse, des étincelles de joie plein les yeux.

— Ah ! te voilà, mon grand ! Tu t'es bien amusé à la plage ? Monsieur Conti, je vous présente mon fils, Nicolas.

— Mais on se connaît déjà, chère madame. J'étais assis à côté de lui dans l'avion. D'ailleurs, nous y avons tous les deux souffert du manque d'espace… mais pas pour les mêmes raisons, ajouta le gros homme en se tapotant l'estomac.

Nicolas daigna sourire en saluant vaguement de la tête. Il resta debout, raide comme un piquet de clôture, afin de signifier à l'individu qu'il était importun et qu'il n'avait aucunement l'intention de s'asseoir tant qu'il n'aurait pas débarrassé le plancher. Qu'il dégage, ce gros ours sans-gêne qui se croyait tout permis. L'autre comprit le message et, sans se presser, il se leva dans un grand bruit de chaises malmenées. Comme un chanteur d'opéra, il saisit la main d'Andréa d'un geste théâtral et la baisa en s'inclinant bien bas.

— Bonne soirée, chère madame. À demain !

N'importe quoi !

Nicolas était outré. L'Italien se dirigea vers le bar de la piscine et hissa son imposante carcasse sur un des tabourets du comptoir. En l'espace de moins d'une minute, le barman déposa devant lui un *drink* super-jumbo, rempli de rhum brun ou de quelque autre alcool du même genre. En vrai pilier de taverne, il avait déjà ses habitudes.

— Qu'est-ce qu'il te voulait, Pavarotti ?

— Rien du tout ! Il me tenait compagnie. C'est un charmant monsieur et il s'appelle Emilio Conti. Pas Pavarotti.

— Je sais. Non mais, tu l'as vu ? Tu ne trouves pas qu'il est un peu voyant ?

— Il est en vacances, mon Nico… et il n'est pas plus voyant que les autres. Regarde autour de toi. Peut-être un peu plus extroverti, c'est tout!

Nicolas jeta un coup d'œil rapide à sa chemise constellée de grosses fleurs bleues. Lui non plus ne pêchait pas par excès de discrétion. Mais il n'était pas question d'en convenir ouvertement.

— Voyons, m'man, il fait vraiment tout pour qu'on le remarque, ce type.

— Tu as tort de juger les gens sur les apparences. Il a beaucoup de culture et de conversation. Grâce à lui, je ne me suis pas ennuyée une minute en t'attendant.

Nicolas nota le petit reproche et sa hargne à l'égard de l'Italien monta d'un cran.

— Et il fait quoi, ce mec, puisqu'il a eu le temps de te raconter sa vie? Vendeur de parmesan? Importateur de spaghettis? Gérant de pizzeria?

— Que de préjugés, mon grand! Figure-toi qu'il est professeur de biologie dans un collège privé de Laval.

— Tu es sérieuse? Tu me fais marcher ou quoi?

— Pas du tout! Et lui aussi, il est en convalescence… en quelque sorte. Il vient de passer par une grosse épreuve, d'après ce que j'ai compris. Je ne sais pas quoi au juste. Je n'ai pas posé de questions. Mais dès qu'il s'arrête de parler, son visage devient très triste. Et ce n'est pas pour rien qu'il est toute la journée au bar. Il a sûrement quelque chagrin à noyer.

— Ce n'est pas la même chose que toi, tout de même !

— Pas tout à fait, j'en conviens… mais les blessures du cœur sont quelquefois plus longues à cicatriser que celles du corps. Il fait ce qu'il peut pour sauver la face, ce pauvre homme. Ne sois pas trop sévère, mon fils.

Ce pauvre homme ! Voilà qu'elle le prenait en pitié, à présent. Le petit côté Mère Teresa d'Andréa lui tombait parfois sur les nerfs. Nicolas haussa les épaules et préféra ne rien ajouter. Il sirota son jus de fruits exotiques sans rien dire, les yeux perdus dans le vague. Andréa se leva, ramassa son châle de mousseline qui avait glissé au sol. Elle avait une petite faim et, quant à lui, Nicolas avait l'estomac dans les talons. Bras dessus, bras dessous, mère et fils se dirigèrent vers la salle à manger où les tables, ce soir-là, étaient éclairées de chandelles roses assorties aux bouquets d'hibiscus, fraîchement cueillis dans les jardins.

En sortant de la salle à manger, le spectacle quotidien présenté par la troupe de l'hôtel commençait tout juste. Chants et danses des Antilles, histoire de l'île emballée dans une comédie musicale… c'était joyeux, sans prétention et l'orchestre était assez génial. Les danseurs avaient le diable au corps. Presque malgré lui, Nicolas se sentit tout entier gagné par le rythme de la salsa. C'était loin du hip-hop et du rap qu'il avait l'habitude d'écouter, mais c'était pas mal non plus.

Après le spectacle, Andréa et son fils regagnèrent tranquillement leur bungalow, en flânant dans l'ombre des jardins. Près de la piscine, quelques fêtards bruyants riaient à gorge déployée. Emilio Conti était le point de mire de la petite bande et racontait des blagues avec force grands gestes. Quelques jolies demoiselles de l'île étaient accoudées au bar, des fleurs dans leurs cheveux sombres, parées de robes à volants multicolores et de blouses en dentelle blanche. Elles riaient, elles aussi, des facéties du gros homme. Parmi elles, Nicolas crut un instant reconnaître Soledad, avec sa peau plus claire que celle des autres et ses yeux immenses. Il se convainquit vite que ce n'était pas la petite métisse puisqu'elle était rentrée chez sa mère depuis longtemps. Et puis, ces filles, au bar, semblaient toutes beaucoup plus âgées qu'elle.

Chemin faisant, ils croisèrent Maurice Bellec, leur voisin de bungalow, qui les salua avec une exquise politesse. Très élégant, chemise de soie crème et pantalon de lin bleu, il se dirigeait vers la salle à manger maintenant que le bas peuple l'avait désertée. Pour lui, la soirée ne faisait que commencer.

La nuit était merveilleusement douce, Nicolas s'attarda quelques instants sur la terrasse du bungalow à regarder les milliards d'étoiles qui tapissaient le ciel. Tout proche, le bruit des vagues était apaisant. L'adolescent se sentit soudain très heureux.

«Par une nuit semblable, pensa-t-il, rien de mal ne pouvait arriver.»

4

Le jardin
sous la mer

Nicolas dormit tard. Il se réveilla un peu sonné d'avoir dormi si longtemps. Andréa était invisible. La première pensée du jeune homme fut pour Soledad. Le cœur battant, il la revit sur la plage, faisant glisser les bretelles de sa robe et dévoiler, comme une magicienne, sa grâce acidulée de femme-enfant, sa taille fine, ses petits seins très hauts, ronds comme des pommes, ses fesses musclées et ses longues jambes minces.

À l'évocation de son sourire éblouissant et de l'éclat de ses yeux d'ambre, un désir douloureux, comme il n'en avait encore jamais ressenti pour personne, s'alluma dans le corps de Nicolas. Il sut avec certitude qu'il était amoureux fou de cette fille qui débarquait dans sa vie comme un rayon de soleil brûlant.

Dix heures! Il avait encore au moins quatre ou cinq heures à tuer avant de la revoir. Autant dire une éternité! Si elle venait, bien sûr. Il préférait ne pas envisager son absence.

La salle à manger était fermée, mais une table, chargée de viennoiseries, de jus de fruits et de café, accueillait les retardataires du petit-déjeuner sous l'auvent extérieur. Nicolas engouffra deux croissants, partageant ses miettes avec le mainate «unipattiste» de la veille.

L'hôtel était en pleine effervescence. Dans la piscine, un match de polo endiablé se déroulait, à grands renforts de cris, d'encouragements en plusieurs langues et de coups de sifflet généreusement distribués par le moniteur chargé des activités nautiques. Nicolas s'amusa quelques instants à observer les stratégies et les passes des deux équipes qui se terminaient, plus souvent qu'autrement, dans les parterres fleuris des alentours.

Un peu plus loin, sur l'estrade des prestations nocturnes, deux danseurs enseignaient la samba et le meringué aux hôtes distingués de l'hôtel, au son d'une musique tonitruante enregistrée. Le spectacle valait le coup d'œil!

Une grande Américaine, cuite à point comme un homard, s'appliquait bravement à reproduire les pas, sa main crispée dans celle de son professeur. La souplesse langoureuse de ce dernier, comparée à la gaucherie mécanique de sa cavalière, créait un contraste détonnant. Quelques touristes s'en sortaient assez bien, épousant le rythme de la musique en abandonnant derrière eux leurs complexes. Certains étaient plus doués que d'autres mais, dans l'ensemble, tous s'amusaient, n'ayant rien à prouver à personne, sinon à eux-mêmes… à part cette grande bringue US, tellement coincée qu'elle sombrait dans le pathétique.

— Le ridicule ne tue plus à notre époque… une chance !

Nicolas se retourna brusquement. Attablé à une petite table devant un expresso bien tassé, « le prof » se délectait tout à la fois du spectacle et du café.

— Hé ! Bonjour, monsieur Bellec. Je ne vous avais pas vu. Tout va bien pour vous, ce matin ?

— On ne peut mieux, jeune homme. On ne peut mieux ! Le soleil est au rendez-vous, comme chaque jour, et, avec un spectacle pareil… pas question de s'ennuyer. Vraiment, ces hôtels déploient des trésors d'imagination pour amuser leurs invités. Tu ne trouves pas ?

L'adolescent apprécia l'ironie mordante sous le commentaire et éclata de rire. Il aurait bien voulu pousser plus loin l'échange, mais l'autre se leva, déposant sa tasse sur la table.

— Excellent, ce café, je te le conseille. N'oublie pas notre match cet après-midi. Je t'attendrai à cinq heures, sans faute.

— Entendu, monsieur Bellec. Vous pouvez compter sur moi.

— Salut, jeune homme.

Onze heures ! Nicolas ne savait plus quoi faire pour massacrer le temps. Il avait écumé les moindres recoins de toutes les boutiques de l'hôtel, avait lu tous les prospectus d'excursions proposées par les différents agents de voyage, avait fait un brin de causette avec Maria-Lucia, fidèle au poste derrière le comptoir de la réception… «*Est-ce qu'elle couche là, cette fille ?*» et avait même retrouvé sa mère dans un des salons du lobby, en train de suivre un cours d'espagnol avec deux autres Québécois et une poignée de Français fraîchement débarqués, aussi enragés qu'elle. «*Elle fait du zèle, Andréa ! Des cours d'espagnol en vacances… On aura tout vu !*»

Midi… Pas faim ! Nicolas se traîna tout de même jusqu'au buffet où plusieurs touristes faisaient déjà la queue, assiette en main. La société des nations riches semblait s'être donné rendez-vous là. Il y avait des Italiens, des Japonais, des Allemands, des Américains, des Français, des Anglais d'Angleterre, quelques Latinos et même un ou deux Russes qui ne détonnaient pas trop dans le décor... sans parler des Québécois, bien sûr, qui représentaient presque la moitié des vacanciers. C'était la surenchère des t-shirts imprimés venant des quatre coins de la planète, permettant, à peu de frais, de faire étalage qui de sa culture, qui de sa richesse, qui de ses prétendus voyages au bout du monde...

Nicolas prit place derrière un grand type, genre Viking, bâti comme un lutteur de sumo, qui parvenait à entasser des quantités astronomiques de salades, de crevettes, de cubes de fromage et d'olives dans son assiette. Et ce n'était que les hors-d'œuvre, les plats chauds mijotant un peu plus loin sur des réchauds. L'individu rayonnait littéralement de contentement, heureux d'aligner sur le même rang et aux yeux de tous, son standing et sa fourchette. Un peu écœuré, l'adolescent le suivit des yeux jusqu'à une table où une corbeille de pain et un pichet de bière l'attendaient déjà.

Nicolas se demanda ce qu'il allait manger. Ce n'était pas le choix qui manquait pourtant. Plutôt le contraire! Il y en avait trop, beaucoup trop... Un simple hamburger aurait fait l'affaire. Tout cet étalage de nourritures riches et colorées, dans un pays où bien des gens ne mangeaient pas à leur faim, avait quelque chose d'obscène qui mit le jeune homme profondément mal à l'aise.

Quelques tomates, un peu de semoule et un morceau de fromage. Nicolas préféra se montrer frugal. Sans cesse, sa pensée le ramenait à Soledad et, devant cette abondance, il la revit soudain, dévorant avec voracité son assiettée de sandwiches. Son cœur se serra et il s'attabla tout seul, à l'ombre du bar, près de la piscine, pour picorer en compagnie de son mainate préféré qui n'avait pas tardé à rappliquer.

En retournant au bungalow pour préparer ses affaires de plage, il croisa Emilio. Le gros homme ne le vit pas. Accroupi, il était tout occupé à examiner une colonie de fourmis qui liquidaient une rondelle de banane jetée sur le sol. Nicolas leva les yeux au ciel, irrité sans trop savoir pourquoi. *«Ce type est d'une originalité à faire pleurer. Examiner des fourmis, comme un gamin du primaire ! Il y a de quoi se poser des questions sur sa santé mentale. À moins qu'il s'agisse d'une espèce de bibittes super-rare. Déformation professionnelle, sans doute ! Le prof de bio dans toute sa splendeur !»*

62

Elle était arrivée vers deux heures, la Soledad du soleil. Elle avait retrouvé Nicolas sur la plage, au même endroit que la veille. Le jeune homme la trouva encore plus belle que dans son souvenir et il se sentit formidablement heureux de cette minuscule habitude qui existait déjà entre eux. Elle avait divisé ses cheveux en petites tresses retenues ensemble par un ruban sur la nuque. N'importe quelle fille aurait eu l'air tarte avec une coiffure pareille, mais elle, elle ressemblait à une princesse exotique.

Toute contente de le retrouver, elle sourit à Nicolas et, sans prendre le temps de faire une pause, elle lui lança :

— J'ai quelque chose à te montrer. *Vamos*. Viens, suis-moi.

Elle avait apporté un gros sac de plage qu'elle refusa d'ouvrir tout de suite. Sûre qu'il la suivrait, elle précéda le jeune homme vers un amas de rochers, distant de quelques centaines de mètres, où il ne s'était pas encore aventuré. Nicolas n'eut que le temps de saisir le fourre-tout où il avait entassé toutes ses affaires. Parvenue aux rochers, Soledad se mit à slalomer comme une chevrette entre les blocs glissants recouverts de moules naines, de bigorneaux minuscules et d'algues brunes, ses pieds protégés par des sandales de plastique. Nicolas n'avait rien prévu de ce genre. Pieds nus, il avait bien du mal à suivre la cadence de sa compagne. Tant bien que mal, il la suivit comme un crabe, en grimaçant sans qu'elle s'en aperçoive. Bien vite, elle le distança.

Il la rejoignit dans une petite anse de sable blanc, coincée entre deux amas de rocs qui se perdaient dans la mer. Une falaise en surplomb protégeait cette oasis secrète, privée comme une alcôve, la baignant d'une ombre bienfaisante. Ouvert d'un seul côté sur l'infini de l'horizon, l'endroit était désert.

Soledad avait jeté son sac sur le sable. Elle en sortit une serviette de plage, ornée du logo d'un hôtel voisin, deux masques de plongée et une paire de palmes. Nicolas la regardait faire, interloqué. Elle cracha dans son masque, le rinça, installa son tuba comme une vraie pro, chaussa ses palmes et se dirigea vers la mer en marchant comme un pingouin, dans un maillot d'un blanc immaculé, moulé sur elle comme une seconde peau.

Les deux pieds dans l'eau, elle se retourna d'un air narquois vers le grand benêt qui ne trouvait rien à dire.

— Alors, qu'est-ce que tu attends ? Tu viens te baigner ou tu prends racine sur la plage ?

— Tu m'as bien eu, dis donc !

En riant, elle sauta dans les vagues et se mit à nager vers les gros rochers, flottant à la surface, son maillot accrochant la lumière. Nicolas se secoua. Enfila le deuxième masque – celui du frère sûrement – et sauta dans la grande bleue à sa poursuite.

« J'ai exploré avec elle le récif de corail qui borde cette partie de la côte. Elle nage comme une sirène, cette fille. Nous avons longé les rochers à la recherche des poissons-papillons. Sous la mer, ça ressemblait à un jardin sauvage et fantastique, avec des fleurs bizarres et une petite foule de bestioles étranges. Les algues caressaient nos jambes comme des doigts d'ondines. Soledad me guidait dans ce paradis, me montrant les oursins, les poissons-chats, les anges ensoleillés, les petits crabes, les bancs de crevettes et les méduses que, sans elle, je n'aurais sans doute pas vus. À un moment donné, elle a plongé jusqu'à un buisson de corail rouge aux formes extravagantes. Un peu plus loin, j'ai débusqué une murène renfrognée qui faisait la sieste dans son trou. Au-dessus de nous, une raie manta a déployé ses ailes comme un oiseau rare. Et nous avons chatouillé un poisson porc-épic, hérissé de tous ses piquants. Ce monde du silence était plein de reflets et de murmures, rythmé par le bruit de nos

bulles. À trois mètres sous l'eau, le soleil ressemblait à une grosse boule de lumière glauque.

«Nous avons nagé longtemps. Nous avons plongé souvent, insouciants des heures qui fuyaient. Soledad se glissait contre moi comme si elle dansait. Je sentais ses bras autour de mon cou, ses jambes qui se mêlaient aux miennes. Sa peau me brûlait dans l'eau tiède. J'avais tellement le goût d'elle… Son ruban s'était défait et ses petites tresses l'entouraient d'une couronne d'algues fines.

«À un moment donné, elle a ôté son masque. Moi aussi. Elle s'est collée contre ma poitrine. J'ai senti ses petites mains dans mon dos et ses lèvres contre les miennes. Une grosse bulle d'air est passée de sa bouche à ma bouche. Nous sommes remontés ainsi à la surface, lentement, retenant notre souffle, nos deux vies confondues dans ce baiser aussi salé que des larmes. C'était si doux, si bon, que j'avais le goût d'exploser de bonheur, de rire et de pleurer en même temps.»

Ils se retrouvèrent l'un contre l'autre sur la petite plage secrète, étendus au soleil, reprenant leur souffle, conscients du délicieux trouble qui les envahissait. Nicolas voulut parler, mais elle mit un doigt sur ses lèvres.

— *Por favor...* ne dis rien. Ne brise pas ce moment parfait. Les mots ne peuvent rien y ajouter.

Elle se laissa aller contre lui langoureusement, amoureusement, en fermant les yeux. Nicolas l'embrassa encore et encore, léchant les perles d'eau qui séchaient en gouttes de sel sur ses épaules, caressant ses petits seins durs sous le maillot blanc. Il aurait bien donné dix ans de sa vie pour faire l'amour avec elle – là, tout de suite –, lui qui n'avait encore jamais fait l'amour avec personne. Il était prêt. Il lui sembla qu'il avait attendu toute sa vie un moment comme celui-là : se donner en pleine lumière, avec un cœur et un corps vierges, à une fille aussi belle qu'une étoile. Mais chaque fois qu'il essayait d'aller plus loin, elle le repoussait gentiment. Finalement, il se résigna. Ses caresses s'apaisèrent et son cœur reprit son rythme normal. Il ne servait à rien de la brusquer. Elle aussi, elle avait le droit de choisir, de dire non, de vouloir attendre. Après tout, ils ne se connaissaient que depuis la veille. L'attente aussi pouvait être délicieuse.

Une fois encore, Soledad bouscula la douceur qui s'était installée entre eux :

— J'ai faim ! J'ai soif !

Pas possible ! Elle avait toujours un petit creux, cette fille ! Une chance, Nicolas avait

prévu le coup. Son sac était bourré de frian-
dises sucrées et salées qu'il avait glanées à
l'hôtel. Il avait aussi fait le plein de canettes
de boissons gazeuses. Les deux jeunes pique-
niquèrent joyeusement, se bombardant de
cacahuètes et de grains de raisin, se chamail-
lant pour un biscuit, le dernier coca, croquant
tour à tour dans la même pomme. Ensuite,
repus, ils écoutèrent quelques disques com-
pacts que Nicolas avait emportés, se partageant les écouteurs du baladeur, ce qui les
obligeait à rester tout proches, très proches.
Ni l'un ni l'autre ne songeant à s'en plaindre.

Le temps passait très vite. Les nuages
dorés de la fin de journée envahirent l'horizon. Les ombres des rochers s'allongèrent.
La lumière s'adoucit. Sortant de sa bulle,
Nicolas jeta un coup d'œil à sa montre et
sursauta.

— Cinq heures et demie ! Je devais jouer
au tennis à cinq heures.

— Trop tard maintenant, se moqua-
t-elle. Ton partenaire ne sera pas content de
toi. Mais moi, je suis contente que tu restes
avec moi.

— Désolé, Soledad, mais je dois y aller.
Ma mère doit vraiment se demander où je suis
passé. Je ne veux pas qu'elle s'inquiète et je
dois aller m'excuser auprès du « prof ».

— Qui ça ?

— Le Français avec qui je devais jouer. Je l'appelle «le prof» parce qu'il ressemble à un de mes profs au collège… mais en fait, il s'appelle Maurice Bellec. Il est arrivé hier matin.

Occupé à engouffrer ses affaires en quatrième vitesse dans son sac, Nicolas ne remarqua rien. Le sourire de sa compagne s'éteignit et, en quelques secondes, des années-lumière les séparèrent. Elle se leva, plia sa serviette, rangea, elle aussi, ce qu'elle avait apporté, chaussa ses sandales et précéda Nicolas sur les rochers glissants jusqu'à la plage de son hôtel.

Ils ne laissaient presque rien derrière eux. En deux ou trois vagues, la mer nettoya les coquilles de noix, le trognon de pomme et les quelques miettes qui marquaient leur passage. La petite alcôve de sable retrouva sa solitude. Soledad était partie.

Évidemment, il n'y avait plus personne sur le court de tennis. Nicolas se doutait bien que «le prof» n'avait pas poireauté pendant trois quarts d'heure à l'attendre… mais peut-être avait-il trouvé un autre partenaire. *Nada!* Il devait être rentré dans son bungalow, fulminant contre tous les jeunes dans son genre, pas foutus de respecter une parole donnée.

Andréa faisait des mots croisés sur la terrasse de leur bungalow, le visage serein et reposé sous un immense chapeau de paille blanc. Elle dévisagea longuement son fils, mais lui fit la grâce de ne lui poser aucune question. Après tout, il avait seize ans et sa maturité était celle d'un homme. Du moins, l'espérait-elle! Elle était convaincue que ce beau garçon qu'elle avait mis au monde était capable de se conduire avec loyauté dans n'importe quelle situation. Jusqu'à présent, il ne l'avait jamais déçue.

Brisé par l'intensité de sa journée et les heures passées à nager, Nicolas s'allongea sur son lit et s'assoupit, les écouteurs aux oreilles, revivant mille et une fois les baisers de Soledad et sa délicieuse réserve.

Lorsqu'il émergea, il faisait nuit noire. Andréa l'attendait sur la terrasse, parfaitement jolie dans sa longue robe bleue. Ce soir, c'était la soirée spéciale du directeur de l'hôtel et, pour l'occasion, les hôtes étaient conviés à un apéritif au champagne et à un chic banquet de fruits de mer. Une tenue élégante était recommandée. On s'habillait donc, sortant des boules à mites les petits chiffons colorés et hors de prix, précieusement rangés dans les tiroirs depuis les derniers beaux jours de l'été précédent.

Dans une chemise blanche immaculée, piquée à son père, et un pantalon noir tout simple, Nicolas était plus beau que jamais. Sa peau avait pris un hâle doré et ses cheveux avaient quelque peu pâli sous l'effet du soleil. Mère et fils firent sensation lorsqu'ils arrivèrent dans le lobby où avait lieu la réception. Un quatuor à cordes jouait en sourdine des airs de musique classique. *«Où ont-ils bien pu dénicher des musiciens classiques dans un trou pareil?»* Des chandeliers à cinq branches et d'immenses bouquets de plumes et de feuillages donnaient une ambiance surréaliste à la fête. Pratiquement tous les invités s'étaient mis sur leur trente-six, certains messieurs allant même jusqu'à risquer le smoking, surtout les Anglos. La classe! La grande classe, quoi!

Nicolas s'amusa un instant de cette atmosphère guindée où tout le monde avait l'air un peu constipé. Il n'y avait rien de naturel dans tout ce déballage de distinction. Les femmes se tenaient plus droites, les hommes faisaient des efforts pour effacer leur ventre, les musiciens s'acharnaient à martyriser Mozart... Bref, tout cela frôlait le ridicule. Andréa s'installa sur un sofa avec ses congénères du cours d'espagnol tandis que son fils tentait de rejoindre la grande table où flûtes de champagne rose et amuse-gueules fins n'attendaient que leur bon plaisir.

Soudain, sans l'avoir cherché, Nicolas se retrouva face à face avec Maurice Bellec qui le dévisageait d'un air glacial. L'adolescent se troubla, sourit, rougit et se décida à engager la conversation.

— Monsieur Bellec, je suis désolé pour cet après-midi… Je n'ai pas vu le temps passer. Je faisais de la plongée en apnée sur un récif de corail et… vous savez ce que c'est… franchement… l'heure a filé bien trop vite. Excusez-moi… j'espère que vous ne m'avez pas attendu trop longtemps… Je suis désolé… vraiment !

Nicolas s'embourbait dans ses excuses et l'homme, en face de lui, ne faisait rien pour lui rendre les choses plus faciles. Il toisait le garçon avec un mépris évident et un petit sourire ironique qui en disait long sur ce qu'il pensait des adolescents en général et de celui-ci en particulier.

— Si vous voulez, on peut se reprendre… demain matin… ou quand vous voudrez…

— Ne te fatigue pas, jeune homme. Ce ne sont pas les partenaires qui manquent ici. *Ciao !*

Sans ajouter un mot, il tourna les talons. Nicolas n'était pas loin de se sentir comme le dernier des imbéciles. La gorge sèche, il vida la moitié d'une des flûtes qu'il tenait à la main et en fut immédiatement réconforté. Les bulles blondes lui remontèrent le moral. Après tout, il n'y avait pas de quoi fouetter un chat. Il avait présenté ses excuses et si ce grand fendant de Français ne voulait plus lui adresser la parole, grand bien lui fasse! On n'allait pas en faire une montagne.

Un peu étourdi, le jeune homme rejoignit sa mère, une flûte de champagne dans chaque main. Sans rien dire, il se laissa tomber dans un fauteuil, à côté d'elle, en sirotant son verre en silence. Les bulles éclataient dans ses oreilles, diluant le bruit des conversations, créant en lui une béatitude stupide le dispensant de répondre aux questions.

Du coin de l'œil, Andréa regardait son fils, étonnée de ses brusques changements d'humeur. Quelque chose se passait dont elle n'était pas informée, dont il ne lui avait rien dit. Elle eut l'intuition subite qu'il était amoureux.

Le gong des grands jours retentit, annonçant que la salle à manger était ouverte. Poussant des ho! et des ha! de satisfaction, la foule des affamés se précipita avec avidité, se bousculant pour être aux premières loges. Nicolas éclata de rire.

— Non mais, regarde-les, m'man! On dirait qu'ils n'ont pas mangé depuis quinze jours.

— Tout va bien, mon Nico?

— M'man, tu es super-belle, ce soir.

Andréa sourit avec indulgence. Son fils avait un peu trop bu et la tête lui tournait. Quelques bulles de champagne et le voilà qui perdait les pédales. La prudence commandait de lui mettre au plus vite quelque chose dans l'estomac. Elle se leva donc et prit place dans le troupeau, son grand escogriffe de garçon dans son sillage.

Après un plantureux repas qui lui remit les idées en place, Nicolas proposa à sa mère de faire quelques pas sur la route qui longeait le front de mer.

L'air était divinement doux. Andréa s'appuyait sur le bras de son fils, sans rien dire, savourant la brise à peine fraîche qui venait du large et diluait l'humidité de l'air. Soudain, le bruit d'une motocyclette retentit dans le lointain, se rapprochant de seconde en seconde. Les promeneurs s'arrêtèrent sur le bord de la route pour laisser passer l'engin. La moto les dépassa à toute allure. Elle portait deux passagers : le conducteur casqué de noir, penché sur son guidon, et une jeune femme en amazone, retenant d'une main ses jupons blancs. Tournée du côté opposé au leur, ils ne purent apercevoir son visage, mais Nicolas reconnut sans peine les longues jambes qui s'étaient mêlées aux siennes, quelques heures plus tôt.

L'adolescent saisit la main de sa mère, la serra jusqu'à la faire craquer et fit demi-tour, l'entraînant vers l'hôtel au pas de course. Peinant à le suivre, Andréa se dit que, décidément, l'humeur de son fils naviguait de sommets en gouffres inconnus.

Andréa se sentait fatiguée et ne souhaitait pas assister au spectacle nocturne quotidien, mais elle ne dissuada pas son fils d'y aller. Il la reconduisit au bungalow et l'embrassa sur le dessus de la tête, comme il avait l'habitude de le faire depuis qu'il la dépassait d'une bonne quinzaine de centimètres.

Chez leur voisin, pas âme qui vive! Pour une fois, «le prof» s'encanaillait avec la populace, à l'heure des touristes. Ses espadrilles de tennis séchaient dehors, près de la porte-fenêtre. En toute confiance. Il n'y avait pas de voleurs ici… c'est ce qu'on leur avait assuré, lors de leur réservation. Le service de sécurité était à toute épreuve.

Nicolas passa l'hôtel au peigne fin, à la recherche de Soledad. En vain! À croire qu'il avait rêvé. Ne sachant trop que penser, il assista au spectacle de la troupe de l'hôtel. Soirée rétro pour les Francos, avec chansons françaises des années soixante. Karaoke sur des airs de Bécaud, Brel, Aznavour, Brassens, Boris Vian et autres illustres inconnus dont Nicolas n'avait pour ainsi dire jamais entendu parler. Plutôt spécial! Les artistes avaient bien du mérite, étant donné que la plupart d'entre eux ne comprenaient pas un traître mot de ce qu'ils mimaient.

Un peu désemparé, l'adolescent se décida à aller dormir. En traversant le pont qui enjambait la piscine, il s'arrêta net, sidéré. Était-ce bien elle, si semblable et pourtant si différente, avec un maquillage de femme qui la vieillissait de plusieurs années? Soledad était perchée sur un des tabourets du bar. Elle était magnifique, vêtue d'une ample robe blanche en dentelle anglaise, un caraco noir moulant sa poitrine, des fleurs de jasmin dans ses cheveux sombres. Devant elle, faisant de grands gestes selon ses bonnes habitudes, Emilio Conti pérorait, son inséparable verre de rhum à portée de la main.

La jeune fille semblait attentive. Tête baissée, elle écoutait ce que l'autre avait à lui dire. Nicolas était trop loin pour entendre ce qu'il lui balançait, mais il eut l'impression qu'il passait un savon à la petite. De temps à autre, Soledad hochait la tête, faisait oui, faisait non, haussait les épaules avec fatalisme, soupirait avec ennui, courbait l'échine sous l'avalanche de mots.

« Qu'est-ce qui lui prend, à ce gros, d'engueuler ma blonde ? Et qu'est-ce qu'elle fait là, elle, à cette heure-ci, à presque minuit ? »

Nicolas était peut-être vite en affaires et faisait preuve d'un optimisme à tous crins en pensant à Soledad comme à sa blonde. En preux chevalier, il dévala le pont et se précipita vers elle, prêt à la défendre de toute attaque, prêt à lui trouver toutes les excuses possibles.

Soledad le vit venir à elle. Un court instant, elle eut l'air paniqué. Ses yeux s'affolèrent. Dès qu'il fut à portée de voix, elle lui jeta très vite, en lui tournant le dos :

— Je ne peux pas te parler tout de suite. S'il te plaît… por favor. No puedo hablar ahora !

— Mais enfin, qu'est-ce qui se passe ? As-tu besoin d'aide ?

— Non, non ! On se verra demain. Je t'expliquerai.

Sans rien ajouter, elle glissa du tabouret et se perdit dans la nuit du jardin. Comme un enragé, Emilio Conti faisait tournoyer les glaçons de son verre, les joues et le nez en feu. Il avait déjà bien baptisé sa soirée. Il leva ses yeux fatigués, striés de lignes rouges, vers le garçon.

— Fais attention à toi, petit !

— Pourquoi ? Qu'est-ce que vous voulez dire ?

— Toutes pareilles, ces foutues gamines… le fric… le fric… toujours le fric…

Le reste se perdit dans un borborygme d'ivrogne. Le gros Italien vida son verre et, d'un pas hésitant, chaloupa vers le lobby où quelques noctambules impénitents achevaient de se saouler autour d'un pianiste qui distillait une nostalgie d'un autre âge.

Nicolas sentit la jalousie et la haine lui mordre le cœur. Il détestait cet individu. Il n'en avait rien à cirer, de ce gros type qui l'entourait de sa sollicitude alcoolisée et qui le bassinait avec ses conseils à la con. Pourtant, il sentait confusément que quelque chose lui échappait. Il ne savait pas quoi encore, mais il allait trouver. Foi de Fromont, il allait trouver. Il serra les poings.

Près de la piscine, attablé devant son éternelle tasse d'expresso – *« À croire qu'il carbure à la caféine, ce mec ! »* – Maurice Bellec n'avait rien perdu de la scène. Il fixait le jeune homme d'un air ironique, en fumant une cigarette anglaise. Toute cette agitation vaine et ridicule ne le concernait pas. Immobile, silen-

cieux… il était l'image parfaite de la respec-
tabilité et du bon goût.

Pieds nus dans le sable, Nicolas regarda
la lune émerger de l'horizon. Il venait d'écumer les jardins à la recherche de Soledad,
en vain. Le bruit des vagues ne parvenait
pas à calmer la migraine qui martelait ses
tempes. La douceur de l'air était traîtresse.
Il frissonna. Il essaya de toutes ses forces de
se rebrancher sur le film magique de son
après-midi avec la petite métisse, mais sans
cesse lui revenaient en mémoire le jupon
blanc et les fleurs de jasmin qui paraient une
jeune fille qu'il ne connaissait pas.

Juste avant de rentrer se coucher, il
entendit au loin la pétarade de la moto qui
s'éloignait et il eut soudain envie de vomir.

5

Le collier bleu

Nicolas dormit mal et se réveilla amoché.
Champagne ? Coup de soleil ? Coup du sort ?
Il ne savait pas, au juste, ce qui lui donnait
cette sensation d'avoir été suspendu toute la
nuit au bord d'une évidence qu'il ne voulait
pas voir.

Dans la salle de bains, Andréa chantonnait. Lorsqu'elle entendit son fils bouger, elle
vint s'asseoir sur le bord de son lit et lui
caressa les cheveux.

— Tu n'as pas l'air dans ton assiette,
mon Nico.

— J'ai mal dormi, m'man.

— Allez, lève-toi. L'air de la mer te fera
du bien. On va aller déjeuner ensemble ce
matin. Une fois n'est pas coutume.

Sans enthousiasme, l'adolescent suivit sa mère jusqu'à la salle à manger. Sur les petites heures du matin, une courte ondée avait rafraîchi l'atmosphère. La végétation, lavée de toute poussière, brillait de mille et une gouttelettes et d'immenses flaques d'eau faisaient le bonheur d'une ribambelle d'oiseaux tapageurs parmi lesquels «l'unipattiste» n'était pas le dernier à profiter de la baignade.

Après le petit-déjeuner, Andréa proposa à son fils d'aller faire un tour en ville pour fureter dans les boutiques. Elle souhaitait rapporter un petit souvenir à Antoine. L'artisanat local avait la réputation d'être original et soigné, particulièrement les sculptures en bois ou en pierre tendre.

Nicolas fit un crochet par le bungalow, afin d'y prendre une carte de crédit et un peu d'argent américain. La porte était ouverte et le chariot de la femme de chambre encombrait l'entrée. L'adolescent se glissa sans bruit entre le mur et l'engin roulant chargé de serviettes et de produits d'entretien de toutes sortes et s'arrêta soudain, stupéfait.

Rosa, la jeune femme qui était chargée de la bonne ordonnance de la chambre, ne l'avait pas entendu entrer. Elle avait ouvert la télé et écoutait en sourdine un poste qui transmettait de la musique cubaine. Elle était dans la salle de bains, figée devant la tablette en verre où Andréa avait aligné ses produits de beauté. Avec un air effaré, elle manipulait un à un les petits pots précieux et les bouteilles remplies de liquides inconnus. Comme chaque fois qu'elle partait en voyage, Andréa avait renouvelé son stock à la boutique hors-taxes de l'aéroport et certaines de ses potions magiques étaient encore dans leur emballage d'origine. Évidemment, les étiquettes portant le prix de l'objet y étaient encore collées, et Rosa ne parvenait pas à comprendre comment de si petites choses pouvaient coûter si cher... chacune d'elles représentant beaucoup plus que ce qu'elle gagnait chaque mois à récurer les baignoires, à changer les draps et à passer l'aspirateur, six jours sur sept, durant la haute saison touristique. Selon ses critères à elle, les clients de l'hôtel où elle travaillait devaient être incroyablement riches.

Pourtant, elle ne se plaignait pas, Rosa. Elle avait un bon travail, stable et payé convenablement, une vingtaine de dollars américains par mois. Souvent, les clients lui laissaient un billet, à la fin de leur séjour, quand ils étaient contents de ses services. Alors, elle faisait tout pour qu'ils soient contents. Chaque jour, elle posait une fleur fraîche sur les oreillers, pliait les serviettes de toilette en forme de cygne au pied des lits, rangeait soigneusement les chaussures qui traînaient, suspendait les vêtements éparpillés partout. Avec ses pourboires, elle parvenait facilement à tripler son salaire. De toute sa famille, c'était elle qui gagnait le plus. Comme elle était logée et nourrie à l'hôtel, elle envoyait de l'argent à sa mère et parvenait même à mettre suffisamment de côté pour envisager de se marier bientôt.

Mais tout cela ne lui expliquait pas pourquoi la crème de soins de sa cliente coûtait une somme aussi astronomique : quarante-cinq dollars ! Et la bouteille de parfum dont elle avait vaporisé quelques gouttes pour en apprécier l'arôme… ça aussi, c'était exorbitant. Qu'est-ce qu'il y avait donc de si précieux dans ces jolis flacons fragiles : de l'or, de la magie, de la jeunesse ?

Nicolas ressortit du bungalow en catimini. Il se sentait indiscret. Il n'avait jamais réalisé, autant qu'à cet instant même, le gouffre qui séparait le niveau de vie des gens de cette île de celui du pays où il vivait. La pauvreté et la richesse étaient des notions très relatives, en fonction de l'endroit où l'on était né. Être pauvre, être riche, c'était quoi, au juste, dans cette république de bananes ?

La gentille fille qui faisait les chambres à l'hôtel, faisait-elle partie des bien nantis du pays, elle qui avait un travail « payant », qui mangeait trois fois par jour, qui buvait de l'eau potable, qui avait accès à des soins de santé, qui était allée à l'école quelques années ? Et c'était quoi son avenir, ce qu'elle pouvait espérer de mieux dans la vie ? Une petite maison en bordure du quartier chic des gros hôtels ? Un ou deux enfants un peu plus scolarisés qu'elle ? Quelques fêtes, quelques dates mémorables dans le tissu de sa vie ? Garder son travail, c'est-à-dire décrasser des milliers de fois les mêmes chambres en gardant le sourire ? Pourrait-elle un jour connaître d'autres horizons que ceux de son île ? Comment vivrait-elle ses ambitions, ses désirs fous, ses passions ? Avait-elle seulement les moyens de rêver ?

Nicolas ressentit comme un vertige. Jamais de telles questions ne lui avaient effleuré l'esprit. Était-ce seulement une question d'argent ? D'accord, l'argent avait une grande importance, mais il y avait plus que ça. Pour l'adolescent, le confort matériel – la télé, le frigo plein, l'argent de poche, l'ordinateur, le système de son *high-tech* – était un acquis, des choses qu'il avait toujours connues dans sa maison. Il n'avait jamais même songé à s'étonner, à se réjouir d'une telle aisance, à la remettre en question. Pourtant, à bien y penser et à l'échelle de la planète, c'était plutôt exceptionnel.

Mais pour Rosa, ce n'était pas évident du tout. Elle avait tout à conquérir. Elle allait passer une grande partie de sa vie à espérer un petit confort, tout ce qui était si ordinaire pour Nicolas. L'avenir de Rosa, il ressemblait à un petit arbrisseau fragile à une ou deux branches, à la merci de la première catastrophe. Celui de Nicolas, c'était un arbre à mille ramures et il avait la possibilité de suivre toutes celles qu'il voulait. Bien plus que le fric, c'était ça, au fond, la plus grande richesse : la liberté de se fabriquer des rêves et la certitude de pouvoir en vivre quelques-uns.

L'adolescent rentra dans la pièce en faisant claquer ses talons sur les tuiles de céramique et en cognant à la porte. Rosa l'accueillit avec un gentil sourire, tout en continuant son travail de fourmi obstinée. Il la salua, un peu raide, pêcha le sac à main de sa mère dans la garde-robe et ressortit aussi sec, beaucoup plus remué qu'il n'aurait été prêt à l'admettre.

Andréa ne pouvait pas marcher trop longtemps, alors elle proposa à son fils de prendre un taxi. Deux ou trois voitures stationnaient en permanence devant l'hôtel, il n'y avait qu'un geste à faire. Le trajet qui avait pris plus d'une demi-heure à pied à Nicolas, deux jours plus tôt, dura à peine cinq minutes, bien confortables, à l'air conditionné. Tout était facile, ici, lorsqu'on avait les poches pleines de dollars.

Nicolas fit les honneurs du centre-ville à Andréa. Il lui montra la librairie, les petites échoppes de fringues exotiques, les deux ou trois *fast-foods*, le magasin hors taxes pour l'alcool et les parfums, le petit marché des artisans et la jolie boutique de colifichets qui répondait au nom de La Bisutería, devant laquelle le jeune homme avait parlé pour la première fois à Soledad.

Andréa se sentait en forme comme elle ne l'avait pas été depuis longtemps. Elle était joyeuse comme une petite fille et sa bonne humeur gagna son fils. Ils s'offrirent un sorbet à trois couleurs qu'ils dégustèrent avec gourmandise à une terrasse ombragée, même s'ils avaient copieusement mangé à peine une heure plus tôt. Ils bouquinèrent un bon moment au milieu des magazines et des livres multilingues de la librairie. Andréa y acheta des cartes postales et un album de photos sur les fleurs et les oiseaux de l'île – cadeau idéal pour son homme. Ils passèrent en revue les vêtements colorés marqués au sceau du soleil et admirèrent longuement les sculptures d'un artisan, artistiquement disposées sur des tissus colorés.

Nicolas se sentit inexplicablement attiré par l'une d'elles : une petite tête d'homme, les yeux fermés, coiffée d'un immense crapaud. Bizarre comme idée ! Très expressive, son profil était équilibré et sa bouche s'étirait sur un mystérieux sourire. Le contraste entre l'inspiration négroïde et la pierre blanche donnait une présence étrange et presque dérangeante à cette œuvre. Installé à l'ombre d'une bâche, un jeune homme, guère plus âgé que lui, se curait les ongles avec un couteau. Sans trop réfléchir, Nicolas demanda le prix de la sculpture.

— Vingt-cinq dollars, juste pour toi, *amigo* ! C'est un prix d'ami.

— Un peu trop cher pour moi, *amigo* !

— Allez, on s'entend pour vingt dollars et tu l'emportes. À ce prix-là, je te jure que je ne fais pas un sou sur cette vente… mais comme tu es sympa, je ne veux pas marchander avec toi. Elle est unique cette tête. Y'en a pas deux pareilles dans l'île. Elle te portera chance, *amigo*… tant que tu la garderas avec toi. C'est une figure vaudoue, je ne devrais pas te la vendre…, ajouta le jeune vendeur en baissant la voix et en jetant des regards suspicieux aux alentours.

Nicolas sortit un billet de sa poche. L'affaire fut conclue en moins d'une minute. Il savait qu'il se faisait baratiner, qu'il se faisait rouler, qu'il n'avait pas assez marchandé le prix de son caprice. Dans un pays où le marchandage était élevé au rang de sport national, il s'attendait même à un certain mépris de la part du vendeur. Tout au contraire, celui-ci emballa l'objet avec soin dans une feuille de journal, puis il tendit la main à Nicolas pour sceller la vente. L'adolescent serra la main tendue. Les deux garçons se regardèrent avec amitié. Le courant passa entre eux. Sous d'autres cieux, dans d'autres circonstances, ils seraient sans doute devenus des amis.

— Fais attention à toi, *hermano*, murmura le jeune Noir.

— *Gracias… amigo! Hasta la próxima…* à la prochaine.

En moins de vingt-quatre heures, cela faisait deux fois qu'on le mettait en garde. Contre quoi? Contre qui? Qu'on lui conseillait de faire attention. À quoi? D'abord l'Italien, la veille au soir, puis ce jeune *Black* sympa devant son étalage des mille et une nuits vaudoues. Nicolas n'y comprenait rien et se sentit un peu idiot. Tout le monde avait l'air de savoir quelque chose qui lui échappait totalement.

Il saisit son paquet et rejoignit sa mère qui regardait les bijoux de fantaisie dans la vitrine de La Bisutería. Andréa était en admiration devant les colliers de perles de verre coloré qui chatoyaient dans un rayon de soleil, posés en contraste sur du velours noir. Elle montra du doigt celui qu'elle préférait : trois rangs de perles bleues, retenues ensemble à intervalles réguliers par des boules plus grosses, une longue larme de cristal azur au centre du bijou. Magnifique ! D'une féminité exquise. Le travail d'un grand artiste.

Maurice Bellec était dans la boutique. Lui aussi, il regardait les colliers, de l'autre côté de la vitre. Il fit signe à l'une des vendeuses qui s'empressa d'enlever plusieurs articles de la vitrine pour les déposer sur le comptoir. Le collier bleu faisait partie des choix du « prof ». En bon touriste qui se respecte, il faisait la tournée des boutiques afin de ramener un souvenir à une des femmes de sa vie : fille, épouse, mère ou amante…

Après avoir consciencieusement examiné chaque bijou, il se décida pour le collier bleu. La vendeuse le coucha sur un lit de coton, dans une boîte de carton doré qu'il empocha. En sortant du magasin, il faillit se heurter à Andréa et à son fils. Nicolas, la gorge serrée, salua le Français.

— Euh ! bonjour, monsieur Bellec !

— Bonjour, jeune homme. Bonjour, madame. Excusez-moi.

Pas le moindre sourire. Pas la moindre sympathie dans le regard, juste une politesse glaciale. Il avait la rancune tenace, ce type. C'était peu dire.

Andréa ne lui accorda qu'un petit signe de tête et le regarda s'éloigner dans la rue avec une expression étrange que son fils eut beaucoup de mal à déchiffrer : antipathie, dégoût, agacement ? Rien de positif, en tout cas.

— Je n'aime pas beaucoup ce monsieur.

— Pourquoi ? Parce qu'il a acheté le collier que tu voulais ?

— Voyons, Nico, pour qui me prends-tu ? Ce genre d'individu ne me plaît pas, c'est tout.

— Mais qu'est-ce qu'il t'a fait ?

— À moi, rien du tout... mais il se croit supérieur à tout le monde avec ses grands airs et ses chemises de soie, et moi, ça m'énerve... Et puis, c'est un requin, ce type, un prédateur...

Nicolas éclata de rire. Elle y allait un peu fort, Andréa. Un requin ! Un prédateur ! Et puis quoi encore ! D'accord, Bellec n'était pas la sympathie incarnée comme l'Italo qu'elle appréciait tant ; il était froid, fendant, rancunier, mais de là à le qualifier de prédateur, il y avait une marge. D'ailleurs, qu'est-ce qu'elle voulait dire au juste par «prédateur»?

— Pourquoi tu dis ça, m'man?

— Ouvre les yeux, mon Nico. Cet homme n'est pas là pour acheter des colliers à sa femme ou à sa fille.

— Qu'est-ce que tu en sais? Tu ne lui as jamais parlé. Tu ne sais même pas ce qu'il fait dans la vie, ce «prédateur», comme tu l'appelles.

— Mais si, je le sais. Il est importateur de café.

— C'est pas vrai! Tu me fais marcher.

— Je te jure que si. Il vient chaque année ici pour ses affaires.

— Comment tu as su ça?

— Par un Français qui a voyagé à côté de lui depuis Paris et qui suit les cours d'espagnol avec moi.

«Elle est bien bonne, celle-là! L'Italo que je prenais pour un vulgaire gérant de pizzeria est, en fait, un prof… et le Français distingué que je prenais pour un prof est un négociant en café. Le monde à l'envers! Comme quoi les apparences n'annoncent pas toujours la couleur. Au moins, cela justifie pourquoi Bellec apprécie tant le café

et pourquoi on le voit toujours en train d'en siroter un. »

Mais cette rationalisation ne lui disait toujours pas pourquoi sa mère le voyait comme un requin, avec des dents partout. Celle-ci ajouta d'ailleurs, à mi-voix, histoire de mêler un peu plus les cartes :

— Et il n'est pas là seulement pour acheter du café !

— Tu exagères, m'man ! Comme toujours. Quand tu as quelqu'un dans le nez, tu dis n'importe quoi.

— J'espère, mon Nico ! J'espère que tu as raison et que je ne suis qu'une commère malfaisante. Ce serait un moindre mal.

Elle ne comptait pas en dire plus. Sans ajouter un mot, elle tourna le dos à la boutique et s'engouffra dans le taxi qui les attendait au bord du trottoir.

6

Le rêve amer

Après avoir reconduit Andréa pour une sieste nécessaire au bungalow, Nicolas fonça vers la plage et la cachette entre les rochers afin d'y retrouver Soledad. Il voulait une explication. Il y avait droit. Au besoin, il allait l'exiger.

Elle était déjà là, toute seule, sur le sable de l'anse secrète, allongée sur sa serviette, la peau constellée de petites perles d'eau brillantes. Avec brusquerie, Nicolas jeta son sac sur le sol et se laissa tomber près d'elle.

— Alors?

— Alors quoi?

La jeune fille s'était redressée, tout de suite sur la défensive, et elle le regardait droit dans les yeux.

— Tu veux savoir quoi ?

— Ce que tu faisais avec l'Italien, hier soir, au bar de la piscine.

— Avec l'Italien ? Rien. Rien de rien. On parlait, c'est tout.

— Qu'est-ce qu'il te voulait ? Il avait l'air de t'engueuler, non ?

— Si tu crois que les types comme lui m'impressionnent, répondit-elle en haussant les épaules. J'en ai vu d'autres. Celui-là, il se prend pour mon père. Toujours à faire la morale… à donner des conseils aux autres alors qu'il noie ses journées dans un verre de rhum. *No me gusta !* Il n'a pas de leçons à me donner.

— Mais, il te disait quoi, au juste ?

— Il me disait que j'étais trop jeune pour veiller si tard. Comment peut-il savoir ce qui est bon pour moi, ce gros type, hein ? Il sait quoi de ma vie, hein ? ajouta-t-elle avec hargne, d'une voix qui tremblait un peu.

Nicolas remarqua soudain à quel point elle semblait fragile. Elle avait l'air si vulnérable, si fatiguée, le visage chiffonné et pâle sous sa dorure de soleil, les grands yeux d'ambre cernés de mauve. Une curiosité malsaine et maladroite le poussa malgré tout à mener plus loin son interrogatoire :

— Mais tu foutais quoi au bar, à onze heures et demie du soir, toi qui ne veux même

96

pas mettre un orteil dans les jardins de l'hôtel durant l'après-midi.

— Alors, toi aussi, tu t'y mets ! Toi aussi, tu poses des questions stupides sur des choses qui ne te regardent pas.

— C'est parce que tu n'arrêtes pas de déconner, de raconter des salades. Chaque fois qu'on te demande quelque chose, tu réponds à côté ou tu ne réponds pas du tout. Y'a même pas moyen de savoir ton âge !

— Puisque ça t'intéresse tant, j'ai seize ans, comme toi… et dans mon pays, à cet âge-là, on est majeur et vacciné. On a le droit de venir prendre l'air, le soir, dans les hôtels. C'est permis. C'est légal. Ça fait de mal à personne. Tu es content, là ? C'est fini, les questions ?

Mais Nicolas n'en avait pas terminé. Il était sûr, maintenant, qu'elle ne disait pas tout, qu'elle lui cachait quelque chose. Il reprit l'offensive :

— J'ai eu l'air d'un vrai con, hier soir.

— Ce n'est pas de ma faute ! Je n'y suis pour rien.

— Tu aurais pu me prévenir quand même.

— Pourquoi ? Tu te prends pour qui, toi ? Je ne te dois rien. Je n'ai pas de comptes à te rendre. Et si ça ne te plaît pas, je peux m'en aller tout de suite.

Elle ne manquait pas de caractère, la *chica*. Elle se leva, les yeux flamboyants de colère, bien décidée à ne pas perdre son temps avec ce grand imbécile du Canada qui pensait avoir des droits sur elle parce qu'ils avaient échangé quelques baisers. Nicolas fit immédiatement marche arrière. Il ne voulait pas que sa belle histoire se termine ainsi, bêtement, sur un malentendu, sur une indiscrétion. Après tout, elle avait raison, cette fille. Elle était libre de faire ce qu'elle voulait. En fait, il se conduisait en vrai macho... exactement comme l'Italien... et cette comparaison n'était pas pour lui faire plaisir.

Le cœur battant, il caressa tout doucement l'épaule de la jeune fille. Ses yeux étaient plus éloquents que ses paroles.

— Reste, Soledad! *Te quiero,* je t'aime.

La tendresse du garçon fit fondre toute sa colère. Soledad éclata en sanglots et se réfugia dans les grands bras ouverts de Nicolas. Il la berça longtemps, étonné de ce chagrin immense, de ces larmes qui mouillaient sa poitrine, de cette révolte secrète qu'il sentait mais dont il ne comprenait pas les causes.

Ils s'allongèrent sur le sable, à l'ombre douce des rochers. Les sanglots s'espacèrent, les larmes se tarirent. Au sortir de sa peine,

Soledad s'endormit contre la peau lisse de Nicolas.

«Elle dort comme une petite fille, ce qu'elle est encore, même si elle affirme avoir seize ans... et moi, je n'ose pas bouger. J'ai le bras tout ankylosé mais je ne veux surtout pas la déranger. Je suis sûr qu'elle ne me dit pas tout mais je m'en fous. Au fond, ça n'a pas tellement d'importance puisque, dans trois jours, je m'en vais et qu'elle, elle va rester ici. Est-ce qu'on se reverra? Je te jure, Soledad, que je reviendrai un jour dans ton île, juste pour toi, pour t'aimer jusqu'au bout.»

Les pensées de Nicolas dérivaient très loin, avec Soledad pour principale passagère. L'idée de ne plus la voir était intolérable. Pour un peu, lui aussi il aurait pleuré. Écrasé de chaleur et brisé d'émotions, il finit par s'assoupir.

Elle s'éveilla tout doucement, étrangement réconfortée par l'étreinte de Nicolas qui n'avait pas bougé d'un cil. Il dormait encore. Elle admira les longues mains fermées sur ses épaules, la poitrine imberbe où reposait sa joue, et se laissa bercer quelques minutes par la respiration tranquille du dormeur. Elle se sentait bien avec lui. Libre. Et pour cette fois, c'était quelque chose de normal de l'aimer... quelque chose de joyeux de l'embrasser… quelque chose d'infiniment doux de caresser ses cheveux blonds. Dans sa jeune vie pillée, il y avait encore de la place pour quelques parenthèses d'espoir comme celle-là, pour quelques heures de rêve.

Mieux que quiconque, elle savait que tout cela ne durerait pas, qu'il s'en irait trop vite, trop loin, et qu'elle retomberait trop tôt dans le quotidien sordide qui était le sien. C'est pourquoi ces instants vécus en dehors du temps étaient si précieux. Avec l'étincelle de foi qui lui restait, elle pria de toutes ses forces pour qu'il ne lui demande rien de plus… pour qu'il continue à tout ignorer…

« Elle m'a éveillé d'un baiser, Soledad. En ouvrant les yeux, j'ai vu son sourire. Elle est tellement belle, cette fille, tellement différente de toutes les autres. Main dans la main, nous sommes retournés au pays des poissons, nager dans les jardins de corail. Sous l'eau, rien ne pouvait nous atteindre. Impossibles à prononcer, les mots ne faisaient plus mal. Seuls comptaient ces mouvements paresseux qui nous jetaient l'un contre l'autre, ces étreintes mouillées, ces baisers de bulles, ce souffle défaillant qui nous arrachait le cœur, cette incroyable pulsion de vie qui nous projetait vers la surface comme des bouchons

pour aspirer, à pleins poumons, l'air du grand large. J'aurais voulu que cet après-midi béni ne finisse jamais.»

Lorsqu'ils sortirent de l'eau, il faisait presque nuit. Les grands nuages dorés du soir tapissaient l'horizon. Le couchant y dessinait des ombres et des animaux fantasmagoriques, ourlés de lumière.

Sans un mot, Soledad ramassa ses affaires. Pourtant, elle aurait aimé lui dire tant de choses à ce garçon, beau comme un ange, qui la dévorait des yeux. Qui l'aimait avec une sincérité si évidente, sans rien exiger en retour. Comme elle ne savait par quel bout commencer, elle préféra se taire et se blottir contre lui, une minute encore... une toute petite dernière minute...

— *Te quiero también*, Nicolas. *Te quiero mucho.* Je t'aime tant, moi aussi ! *Gracias.*

Il la reconduisit jusqu'à la route qui bordait le front de mer. Ils marchaient lentement, repoussant le moment de leur séparation jusqu'à l'extrême limite. Elle secoua le sable de ses sandales sur l'asphalte, enfila sa petite robe soleil sur son maillot humide, attacha ses cheveux avec un élastique. Le sac à l'épaule, elle tourna le dos au garçon et à cet après-midi de printemps où elle avait retrouvé son âge.

— À demain, Soledad, si tu veux !

Il avait murmuré. Elle n'avait sans doute pas entendu, car elle ne se retourna pas. Nicolas la perdit de vue à un tournant de la route et se sentit soudain très seul.

L'atrium était situé juste à côté du lobby. C'était un espace agréable, ouvert sur plusieurs étages, protégé par une immense verrière de plexiglas. Une véritable forêt de plantes tropicales dégringolait des balcons et des rampes d'escalier. Les oiseaux y pépiaient à cœur de jour et des petits lézards se faufilaient en toute liberté sur les tuiles de céramique qui le recouvraient. Lieu privilégié pour son calme et son harmonie, c'était là que s'organisaient les activités dites «intellectuelles» entre les hôtes de l'hôtel.

Andréa y jouait au bridge avec trois partenaires inconnus qui semblaient aussi convaincus qu'elle. Nicolas n'avait jamais très bien compris l'engouement de sa mère pour les jeux de cartes. Plusieurs petites tables étaient groupées dans l'atrium, toutes occupées par des équipes qui tapaient le carton avec ardeur. C'était un tournoi amical où les participants de tous les horizons se comprenaient surtout grâce aux règles internationales du bridge.

Andréa aperçut son fils et lui fit un clin d'œil. Il arborait un petit air de chien battu qu'elle connaissait bien et qui voulait dire que quelque chose ne tournait pas rond. Trop accaparée par sa stratégie, elle se dit que la conversation qu'il quémandait pouvait attendre quelques minutes et se concentra sur son jeu. Nicolas essaya de suivre la partie, mais il n'y connaissait rien et ne tarda pas à s'ennuyer à mort.

Qu'est-ce qu'on pouvait s'emmerder dans ces grands hôtels chics où tout était offert à profusion : la bouffe, les sports, la musique, les sourires, le soleil… Il ne connaissait pas grand monde et, à part Emilio et Bellec, il n'avait noué de contacts avec personne. Contrairement à Andréa qui était très sociable, il avait beaucoup de mal à provoquer des amitiés artificielles. Il ne savait pas comment faire et cela ne l'intéressait pas vraiment. Il n'était pas très doué pour les conversations insignifiantes entre gens qui se croisent et qui ne se reverront jamais. De plus, il n'y avait aucun autre ado comme lui, avec lequel il aurait pu échanger des points de vue. Quelques enfants couraient dans tous les coins en affolant leurs parents, mais leurs jeux n'étaient plus de son âge.

En désespoir de cause, complètement désœuvré, il explora de nouveau les boutiques de l'hôtel dans l'espoir d'y dénicher un truc à rapporter à Roxane et à Michel. Un paréo? Trop cher… Un t-shirt? Pas original… Des sandales? Trop personnel… Un agenda en espagnol? Dépassé, on était déjà en avril… Des sous-verres? Ridicule… Des cigares cubains? Pourquoi pas! Ça pourrait être drôle d'essayer de fumer quelques barreaux de chaise entre copains, dans le gymnase du collège. Mais il fallait les déclarer à la douane et Andréa ne manquerait pas de poser plein de questions qui ne la regardaient pas… À oublier donc… Des lunettes de soleil? Et puis quoi encore.

Il sortit de là sans rien acheter et se réfugia au bord de la piscine, à l'ombre d'un parasol de paille, dans une des chaises longues. Dès qu'il ferma les yeux, le sourire de Soledad explosa dans sa tête et une brume d'impuissance envahit ses yeux. Il aurait tellement voulu qu'elle soit là, tout près de lui, à parler de tout et de rien comme une adolescente normale. Elle lui manquait tellement, alors qu'il venait tout juste de la quitter.

Soudain, il sentit que quelqu'un s'asseyait dans la chaise voisine de la sienne et il entendit le tintement des glaçons dans un verre. Il ouvrit les yeux. «*Encore lui! Un vrai pot de colle, ce type!»* Emilio esquissa un petit sourire et poussa une cannette en direction de l'adolescent. Pour une fois, il avait l'air à peu près sobre. La soirée était encore jeune. Nicolas se sentait tellement seul qu'il fut presque reconnaissant à l'Italien d'engager la conversation, malgré le peu de sympathie qu'il éprouvait pour lui.

— Belle journée?

— Ouais. Pas mal.

— Les récifs de corail, près des rochers de l'hôtel voisin, sont très intéressants. J'y ai vu des espèces vraiment rares. Tu fais de la plongée?

— Un peu. En apnée seulement. Je n'ai jamais essayé avec des bouteilles.

— Tu devrais. C'est passionnant!

— Ouais. Peut-être.

— Et comment tu trouves ça, ici?

— Pas mal. C'est plutôt beau : l'hôtel, les jardins, la mer, tout quoi…

— Le grand luxe, tu veux dire. Mais il ne faut pas trop se fier aux apparences. Une telle beauté ne peut s'épanouir que sur la fange. Il y a quelque chose de profondément pourri dans ce paradis.

— Qu'est-ce que vous voulez dire par là?

— Je me comprends!

— Ben, moi, je ne vous comprends pas. Expliquez-vous !

— Tout est à vendre et à acheter ici, mon garçon. Tout ! D'un côté, il y a nous, *los touristas*, les étrangers, avec nos poches bourrées de dollars. De l'autre, il y a les autres, *los nativos*, prêts à vendre leur mère, leur père, leur sœur ou leur frère, pour nous en arracher quelques-uns. Une vraie foire... un marché de chair fraîche écœurant...

— Hé, ho ! Vous poussez pas un peu ?

— À peine, mon garçon, à peine...

Nicolas ne voulut pas en entendre davantage. Il se leva, brusquement tout étourdi, avec l'impression de se trouver en équilibre instable sur le bord d'un précipice. L'espace de quelques secondes, il imagina Andréa, couverte de chaînes sur un marché aux esclaves. Et lui, juste devant elle, un fouet à la main qui faisait monter les enchères. Vendre sa mère ! Ridicule ! Il trouva l'image grotesque. Au fond, ce que l'Italien essayait de lui dire, il ne voulait pas le savoir. Il ne voulait rien voir. Pas encore ! Il avait bien le temps d'être confronté à toutes ces saloperies qui grouillaient dans l'ombre.

— Excusez-moi, mais je dois aller prendre une douche.

— C'est ça ! *Ciao*, jeune homme. Après tout, c'est peut-être mieux que tu n'en saches pas trop. Ce qu'on ne sait pas ne fait pas mal.

Le gros homme avait grommelé sa dernière réplique. Nicolas ne l'avait pas bien entendue, mais il n'avait pas l'intention de le faire répéter. «*Quand il n'est pas paqueté comme un œuf, ce type, il se prend pour un curé. Je m'en tape, de ses sermons et de ses paraboles à la con!*»

Le jeune homme se dirigea au pas de course vers son bungalow. Sur sa terrasse, Maurice Bellec était plongé dans un livre et ne daigna pas lever les yeux pour saluer son voisin, même si, de toute évidence, il l'avait entendu venir. Près de la porte-fenêtre, ses espadrilles de tennis séchaient dans la douceur du soir. Il avait trouvé un autre partenaire. Tant mieux pour lui!

Habité par un profond malaise, Nicolas se réfugia sous l'eau tiède de la douche et y resta longtemps, longtemps… pour échapper aux battements fous de son cœur qui carillonnaient à ses oreilles.

Quand Andréa vint le chercher pour le repas du soir, il avait retrouvé son calme. À plat ventre sur son lit, entouré de feuilles éparses couvertes de chiffres, il jonglait avec les équations et les logarithmes. Un test de maths l'attendait dans trois jours, dans un autre monde, une autre vie.

Nicolas subit le souper avec une patience angélique. Andréa et son partenaire étaient arrivés seconds au tournoi de bridge, et les conversations étaient joyeuses autour de la grande table où elle avait rejoint les bridgeurs. Comme il ne comprenait rien aux subtilités du jeu, Nicolas se réfugia dans un silence faussement intéressé, ce qui le dispensa de prononcer un seul mot.

Le repas s'organisait autour d'un immense barbecue, en plein air, dans les jardins de l'hôtel. Tout ce qui pouvait se faire cuire sur des braises se retrouvait là, en abondance : steaks, poulets, cochons de lait, poissons, crevettes géantes, côtelettes… Toutes ces nourritures terrestres grésillaient et pétillaient à qui mieux mieux, surveillées par des cuisiniers portant toques et vestes blanches brodées à leur nom, foulard rouge noué au cou. Exception faite pour les poissons qui arrivaient chaque jour du petit port voisin, toutes les autres grillades étaient livrées chaque semaine par avion-cargo. Pas question d'anéantir les précieux touristes en leur faisant ingurgiter les cochonnailles et autres protéines du coin, bourrées de bactéries et d'amibes. Les hôteliers tenaient à leur réputation. Et tant pis pour l'économie locale.

La troupe de l'hôtel faisait relâche, ce soir-là. Pas d'orchestre, pas de danseurs à plumes, pas de chanteurs non plus. Rien qu'une petite musique enregistrée qui jouait en sourdine afin de mettre un peu d'ambiance. Tristounet. Le temps s'étirait en longueur et en langueur, alors qu'il avait passé si vite, quelques heures plus tôt. Dans la tiédeur douce de la nuit, l'ennui prenait une forme presque palpable. Bâillements, yeux mouillés de sommeil, esprit vagabond, Nicolas n'en pouvait plus. Discrètement, il fit signe à Andréa qu'il rejoignait le bungalow. Il avait besoin de mettre un peu de silence dans ses idées.

Le bar de la piscine était presque désert. Émilio Conti, lui-même, l'avait fui. Pas de jolies filles, pas de touristes éméchés pour justifier la présence du barman qui s'enquiquinait derrière son zinc en coupant des rondelles de limette et en alignant pour la dixième fois ses bouteilles. C'était vraiment congé pour tout le monde. Du moins, en apparence.

Bellec était chez lui. Ses rideaux étaient tirés sur la porte-fenêtre et un rai de lumière s'échappait tout en bas. Nicolas s'installa sur une chaise longue, dans l'ombre de la terrasse, et se laissa bercer par le ressac régulier de la mer toute proche. Curieusement, le sommeil l'avait fui et un engourdissement bienfaisant l'empêchait de réfléchir.

Tout à coup, un bruit de voix le ramena à la réalité. Il provenait du bungalow voisin. On y parlait à mi-voix, en espagnol… il ne comprit pas. Deux hommes et une femme… Il reconnut sans peine l'accent franchouillard de Bellec qui parlait la langue de Cervantes avec un rythme bien à lui… Les deux autres, il ne savait pas. Une porte claqua. Des pas s'éloignèrent sur le trottoir de briques. Quelques instants plus tard, Nicolas entendit distinctement la pétarade de la motocyclette.

Alors il sut, avec une certitude qu'il ne s'expliquait pas, qu'ELLE était là… quelque part dans l'hôtel… dans les jardins… au bar de la piscine… ou dans un bungalow… peut-être même tout près. L'idée horrible qu'il essayait de contourner et qu'il avait ignorée de toutes ses forces le frappait comme un coup de poing en plein plexus solaire.

Comme un ressort fou, il s'éjecta de son siège et ratissa les jardins à la recherche de Soledad. Pas âme qui vive dans la salle à manger et le lobby. Près de la piscine, une poignée d'insomniaques devisaient calmement en sirotant un dernier verre. Dans un coin de l'atrium, Andréa disputait une partie d'échecs avec Emilio Conti. Elle ne vit même pas son fils lorsqu'il passa près d'elle. L'Italien, lui, l'accompagna un long moment d'un regard désolé. L'expression hagarde de l'adolescent ne lui avait pas échappé. Il savait donc! Il avait enfin compris! Était-il nécessaire que ce garçon vive une pareille descente aux enfers?

Nicolas retourna à son bungalow, éperdu d'impuissance. Incapable de tenir en place, il alla rôder près de la fenêtre de son voisin. De la musique s'échappait de la chambre, mais le rai de lumière avait disparu sous la porte-fenêtre. Il contourna le bâtiment à la recherche d'une ouverture. Le vasistas de la salle de bains était fermé, lui aussi, mais la petite fenêtre diffusait une lueur tremblotante, semblable à celle d'une chandelle. Fanal romantique dans la noirceur étouffante?

L'adolescent serra les poings et se laissa glisser jusqu'à terre. Il se mit à trembler, mais il était si bouleversé qu'il ne s'en rendit même pas compte.

7

La descente
aux enfers

Nicolas se retrouva dans son lit, tout habillé, incapable de se souvenir comment il avait fait pour le rejoindre. À la frontière du rêve, il se demanda un instant quel cauchemar absurde lui avait laissé un goût aussi amer dans la bouche. Contre toute logique, il se sentait bien, frais et dispos, et prolongea quelques instants cette béatitude primaire, exempte de soucis et de questions.

Dans le lit voisin, Andréa dormait comme une bienheureuse. Elle avait dû rentrer assez tard après sa partie d'échecs avec l'Italo. Il n'avait rien entendu. Sans faire de bruit, il récupéra ses sandales sous le lit et sortit, cheveux ébouriffés et vêtements froissés. Il se retrouva dans le jour radieux, face à la mer indifférente qui radotait son éternel murmure.

Il était encore très tôt. À peine sept heures. L'armada du premier service s'activait déjà dans la salle à manger. Des bonnes odeurs de pain frais et de brioches chaudes prenaient en otage les quelques lève-tôt qui avaient entamé leur journée en jouant aux dauphins dans les vagues. Nicolas se saisit d'un croûton dans une corbeille et l'émietta au bénéfice de «l'unipattiste» qui l'avait repéré de loin.

L'adolescent s'attabla devant une solide assiettée de bacon, de saucisses, d'œufs brouillés, et se mit à manger avec une rage en crescendo au fur et à mesure que la réalité remontait à sa conscience. Et s'il s'était trompé? Et s'il avait inventé tout cela? Après tout, il n'avait rien vu, rien entendu de précis… à part ces deux voix non identifiées et ce bruit de moto qui s'éloignait, au large. Bien sûr, il y avait aussi les insinuations et les mises en garde d'Emilio… mais pouvait-on se fier aux élucubrations d'un individu qui ne pensait qu'à se rendre intéressant afin de fuir ses démons personnels?

« Je vais aller sur la plage. Je vais t'attendre. Je suis sûr que tu vas venir, Soledad

du soleil... et on oubliera tout en nageant avec les poissons, dans le royaume bleu du silence. Je ne te poserai aucune question. Nous attraperons des chimères fabuleuses et des rêves. Et les heures salées du bonheur seront à nous encore une fois et pour jamais. »

Nicolas entassa croissants et assiette de fruits sur un plateau et y ajouta une petite théière. Pour sa mère. Il était grand temps de se souvenir de sa part du contrat. De retour au bungalow, Andréa lui raconta sa partie d'échecs de la veille en détail, tout en dégustant son petit-déjeuner, adossée à ses oreillers. Son fils l'écoutait d'une oreille distraite, les yeux perdus dans le vague. Alors, elle l'aborda de front :

— Qu'est-ce qui se passe, Nicolas ?

— Mais rien, m'man... je te jure.

— Ne jure pas ! Tu as ta tête des jours de catastrophe. Ce n'est pas à moi que tu peux raconter des histoires.

— Mais je ne vois pas ce que tu veux dire.

— Nico, je peux tout entendre. Je sens... je sais que tu es en pleine confusion, que tu vis quelque chose de difficile. Tu veux qu'on en parle ?

L'adolescent pesa le pour et le contre. C'était sûr qu'Andréa pouvait l'aider. Elle avait toujours été là pour lui et le connaissait mieux que personne. D'un autre côté, il n'était pas encore prêt à traduire en mots l'énorme boule qui étouffait sa gorge… alors, il préféra s'accorder un ultime sursis. Demain. Après-demain, dans huit jours… sa mère serait toujours prête à l'écouter.

— Pas maintenant, m'man. Plus tard, si tu veux. Pour le moment, je ne suis pas capable de t'en parler.

Il s'allongea près d'elle dans les miettes de croissant qui parsemaient le dessus de lit. Andréa ébouriffa les cheveux soyeux de son fils et lui gratta la nuque du bout des ongles. Entre eux, cette caresse remontait à la prime enfance de Nicolas. Quand il avait un petit bobo quelque part, un grand chagrin ou un méchant cauchemar, il suffisait qu'elle glisse tout doucement ses ongles sur le cou de son gamin pour qu'il s'apaise comme par miracle et se mette presque à ronronner comme un chaton. Mais maintenant qu'il était si grand, le remède était-il toujours aussi efficace ? Bien-être absolu, certitude inébranlable d'être aimé sans condition… l'expression douloureuse du garçon s'atténua et il retrouva une moitié de sourire.

— C'est d'accord, mon grand ! Je comprends. On en discutera quand tu voudras. Je te fais confiance. Tu veux qu'on fasse une excursion aujourd'hui, dans la ville voisine ou autre part ? Ça te changerait les idées, non ?

Un excursion en autobus ? Pour voir quoi ? Une plantation de café, des alignements de bananiers, des champs de cannes à sucre, une église construite par Christophe Colomb, un musée miteux ? Non merci ! Très peu pour lui. Il préférait faire le lézard sur la plage et surveiller la course du soleil dans l'attente de Soledad. D'ailleurs, se taper plusieurs heures d'autobus sur des routes défoncées, ce n'était vraiment pas l'idéal pour une convalescente comme Andréa. Argument qu'il s'empressa de faire valoir pour justifier son peu d'enthousiasme.

Le jeune homme se retrouva donc sur la plage, beaucoup plus tôt que prévu. Pour se donner bonne conscience, il avait emporté son bouquin de maths afin de préparer son test et un des livres qu'il voulait relire, *Le pianiste* de Wladyslaw Szpilman. Il l'avait déjà lu deux fois, mais ce récit le fascinait. C'était une histoire vraie, le témoignage d'un grand musicien qui, pendant six ans, avait joué à la cachette avec la mort dans les ruines de Varsovie, durant la guerre de 39-45. Bien sûr, il avait vu le film que Polanski en avait tiré, mais le livre lui procurait un vertige supplémentaire. Il n'y avait plus d'intermédiaire entre Szpilman et lui. Par-delà le temps et l'espace, il se sentait en phase avec ce Polonais traqué, véritable virtuose de la survie, qui avait su raconter son histoire sans haine, miraculeusement protégé par son amour de la musique. Pour la énième fois, il se demanda comment il aurait réagi dans des circonstances semblables, et le courage du pianiste lui permit de se détacher du fouillis de ses propres émotions.

Soledad se pointa vers onze heures. Mignonne à croquer dans un bermuda bleu métallique et un cache-cœur blanc ajusté qui dévoilait et mettait sa taille fine en valeur. Son nombril était percé d'un petit anneau d'or qu'il n'avait encore jamais vu. Ses cheveux étaient attachés en queue de cheval et noués d'un ruban de velours. Elle s'agenouilla près de la chaise de Nicolas en souriant.

— *Buenas días*, Nicolas. Qu'est-ce que tu lis ?

— Un livre.

— *Es evidente*. Je le vois bien. Tu lis beaucoup !

C'était plus une constatation qu'une question. Curieusement, Nicolas ne trouvait rien à dire à sa Soledad du soleil… comme si un mur les séparait déjà. Elle ne traînait pas avec elle son volumineux sac de plage, alors il lui sembla exclu qu'elle puisse venir se baigner avec lui. Elle aborda de front le malaise qui s'installait :

— Je ne pourrai pas aller nager avec toi, aujourd'hui.

— *¿Por qué?* Pourquoi?

— *No puedo, es todo!* Je ne peux pas, c'est tout!

Devant l'air affamé du garçon, elle s'empressa de lui jeter un pieux mensonge qui leur sauvait la mise à tous les deux.

— *Mi madre!* Ma mère est malade. Je dois rester avec elle à la maison. Toute la journée. *Todo el día.*

Nicolas n'en crut pas un mot. Il préféra se taire. Elle se rapprocha de lui, tout près, tout près, et piqua son visage de petits baisers fous, chuchotant en espagnol des douceurs qu'il ne comprit pas. Tout bas, tout bas, elle appela la magie de l'amour à son secours, et les bras de Nicolas se refermèrent sur elle. Il la serra très fort, dans un élan désespéré, conscient qu'elle partageait avec lui quelque chose d'unique, d'infiniment fragile. Lorsqu'elle se dégagea de son étreinte, ils avaient tous les deux les yeux mouillés.

— *Adiós, no me olvides,* Nicolas.

Comme si on pouvait l'oublier!

— *Adiós Soledad !*

C'était fini. Comme la veille, elle le quitta sans se retourner. Il suivit des yeux sa jeune silhouette si élégante. Chaque pas, chaque seconde élargissait le fossé qui les séparait. Il la perdit dans le chaos joyeux des parasols plantés sur la plage.

« Plus jamais je ne te tiendrai dans mes bras, Soledad. Pourquoi t'avoir rencontrée si c'est pour te perdre aussitôt ? Pourquoi donnes-tu autant et si peu à la fois ? Pourquoi es-tu si belle, si touchante, si transparente au regard et à la convoitise de tous ? Si provocante, aussi ? Soledad, ma solitude, pourquoi m'aimer si tu ne veux pas réellement de moi ? »

Il n'y avait pas de réponses à ses questions. En vain, Nicolas essaya de se replonger dans son livre. Les sévices vécus pas Szpilman ne l'atteignaient plus. Toutes proportions gardées, il n'en était pas si loin. L'horreur pouvait adopter de multiples visages

Le corps moite, l'adolescent passa l'après-midi à l'ombre d'un parasol, écrasé de fatigue et de paresse. Il ne savait plus s'il s'agissait de vieilles fatigues ou de nouvelles paresses et, au fond, il s'en foutait. Assommé par la

chaleur humide, il n'avait envie de rien, se laissant dériver entre deux mondes, enfermé dans la bulle protectrice de la musique qui tonitruait à ses oreilles. Dans le ciel, cruel et doux, caressant et traître comme un amant, le soleil égrenait les heures dans sa grande course quotidienne.

Dans le courant de l'après-midi, Andréa lui apporta un hamburger qu'il mangea sans appétit. Elle s'installa à côté de lui sans rien dire, respectant son silence.

Nicolas commençait à avoir très hâte de quitter ce bled pourri.

Soirée disco. La scène avait été transformée en plancher de danse. Tout autour, des petites tables éclairées de lampions accordaient quelque répit aux danseurs qui avaient besoin de repos. L'orchestre y allait de tout son répertoire, passant du latino au *rock'n'roll*, alternant les tangos et les *plains* sans souci de logique. Les *guests* distingués de l'hôtel Sol y Mar s'en donnaient à cœur joie. La soirée était jeune et les gens avaient encore des trésors d'énergie à dépenser.

Assis au bord de la piste, Nicolas reluquait la faune touristique avec détachement. Depuis qu'il était dans ce pays, il attendait. Il passait son temps à attendre. ELLE allait venir, il en était sûr. Contrairement à Cendrillon qui devait quitter le bal avant minuit, elle allait apparaître au douzième coup, réveillant les fantômes assoupis, éclipsant de sa beauté le parterre des Carabosses, offrant sa jeunesse aux vampires qui attendaient leur heure, tapis dans l'ombre des parterres.

Andréa quitta son fils vers onze heures, épuisée et inquiète. La journée avait été interminable, et le silence de Nicolas plus éprouvant qu'une explosion de colère. Au bar, Emilio Conti noyait son mal de vivre. Un peu plus loin, à une petite table, Bellec grillait cigarette sur cigarette en sirotant son éternel expresso. Lui aussi, il semblait attendre. La piste se vida peu à peu. La soirée s'étirait en longueur.

Comme un essaim de papillons, une dizaine de très jeunes filles débarquèrent en riant, dans le frou-frou gracieux de leur robe, chancelant sur leurs talons trop hauts. Leur joie de vivre ranima l'ambiance alanguie. Plusieurs hommes seuls et un couple furent magiquement aimantés par leurs rires et se joignirent à elles, engageant la conversation, lançant les enchères.

Soledad se pointa la dernière. Comme une petite reine, idole attendue de la soirée. Elle salua l'Italien comme une vieille connaissance, balayant les jardins du regard. Elle aperçut Nicolas au moment où il se levait pour l'inviter à danser. Elle était mieux que belle dans une robe safran très ample au bustier ajusté, des perles brillantes aux oreilles. Ses cheveux étaient coiffés à l'espagnole, en chignon bas sur la nuque, ornés d'une grappe de fleurs rouges. Maquillée comme une femme, consciente de son extraordinaire séduction, elle avait vraiment l'air d'avoir seize ans, pour une fois, peut-être même un peu plus. Ses grands yeux d'ambre brillèrent comme des joyaux lorsque son amoureux des heures claires lui prit la main pour l'entraîner vers la piste.

Il dansèrent, serrés l'un contre l'autre, sans rien se dire, bercés par la musique des îles qui cachait sous son indolence une source intarissable de nostalgie. À la fin du morceau, ils se séparèrent, se regardant éperdument. Bellec s'était levé. Sûr de lui, il saisit la main de la petite métisse, la dominant de toute sa stature, écrasant Nicolas de son assurance.

— Tu permets, jeune homme ? Voulez-vous danser, mademoiselle ? ¿ *Quiere bailar usted, señorita ?*

Près du bar, un homme inconnu de Nicolas adressa un signe impératif à Soledad. Elle lança un regard de détresse au garçon et, avec résignation, elle accepta l'invitation

123

d'un hochement de tête gracieux. Elle devait danser avec tout le monde. Après tout, n'était-elle pas là pour ça ? Le Français l'enlaça fermement. Elle se laissa couler dans ses bras, épousant le rythme de la musique, perdue et collée contre ce grand corps d'homme qui faisait tournoyer sa jupe et déchirait son cœur. Elle avait fermé les yeux. Nicolas n'existait plus.

Le jeune homme se débattait dans une infernale spirale d'émotions. Il haletait. Une suée mouilla brusquement son front et il crut qu'il allait tomber. Trop de soleil, sans doute ! Il chancela vers le bar, se jucha sur un tabouret et avala, un peu trop vite, une des boissons exotiques préparées sur un plateau. La chaleur veloutée du rhum brun lui remit les idées en place. Lorsqu'il se retourna vers la piste de danse, Bellec et Soledad avaient disparu.

— *Shit !*

— Reste tranquille, mon garçon, tu ne peux rien faire.

Une poigne de fer s'abattit sur son bras. L'Italo l'empêchait de se lever et le maintenait de force sur son siège. Il regimba avec agressivité.

— Qu'est-ce que vous en savez, vous ?

— Regarde autour de toi, petit ? répliqua le gros homme en secouant Nicolas sans

124

ménagement. Qu'est-ce que tu vois ? Combien en reste-t-il de ces jolies jeunes filles qui sont arrivées tout à l'heure ? Et tu penses qu'elles font quoi en ce moment, hein ?

— C'est pas vrai ! Vous êtes dégueulasse de penser ça et de le dire.

— Tu crois ? Elles viennent ici tous les soirs. Ne me dis pas que tu ne les as jamais vues. Durant la journée, elles ne sont pas tolérées dans les hôtels chics que nous fréquentons. Il ne faut surtout pas déranger les familles convenables et les petits couples. Mais à la nuit noire…

L'Italien n'acheva pas sa phrase. Son regard s'était brouillé. Il lâcha le bras de Nicolas, qui s'empressa de dégringoler de son tabouret.

— Sale con ! cracha le garçon.

— Si tu ne me crois pas, va vérifier par toi-même ! Tu sais où aller.

Oui, il savait où aller et il y fonça. Le bungalow de Bellec était silencieux. Les rideaux étaient soigneusement tirés, mais il y avait de la lumière sous la porte-fenêtre. Les espadrilles du Français prenaient l'air sur la terrasse, comme d'habitude. Nicolas contourna le bâtiment. Le vasistas de la salle de bains était grand ouvert. La lumière venait de là. Sans faire de bruit, l'adolescent alla chercher une chaise sur sa propre terrasse, la cala au milieu des plants de fleurs et monta dessus. Plongée dans la pénombre, une partie de la chambre se reflétait dans le grand miroir au-dessus du lavabo.

Au début, il ne vit rien. Puis une grande tache claire attira son regard. La belle robe de Soledad s'ouvrait comme une corolle vide sur le sol. Ensuite, il distingua un pied… une longue jambe… et un bras mince qui possédait toute la grâce du monde. Une main d'homme se promena sur ce bras, le caressa encore et encore, se perdant, au-delà du miroir, vers une nuque qu'il devinait.

Nicolas ferma les yeux. Bellec murmurait des choses qu'il n'entendait pas. Incapable de bouger, le garçon tremblait comme une feuille. Lorsqu'il regarda de nouveau, il vit très nettement la scène. Immobile, Soledad gisait à plat ventre sur le lit. Au-dessus d'elle, Bellec haletait, enchaîné au va-et-vient de son plaisir. Fasciné, l'adolescent ne pouvait détacher le regard de ce corps d'homme presque vieux, qui chevauchait sans vergogne la délicieuse jeune fille qu'il aimait, la couvrant tout entière, l'étouffant, l'écrasant de son désir. Ce qui restait d'enfance dans le cœur du jeune homme s'évapora à l'instant où le cri de jouissance du Français résonna dans la nuit, en échos successifs.

Devant l'évidence, le chagrin et la colère submergèrent Nicolas. Puis ce furent la révolte et la haine, balayant tout sur leur passage. Tapi dans l'ombre d'une haie de bougainvillées, le garçon était une bombe à retardement, une grenade sans goupille. Il attendit longtemps, en grinçant des dents, conscient que chaque minute qui passait lui volait un petit bout de son insouciante jeunesse. Il grelottait, insensible à la douceur idéale de la nuit.

Sur le coup de cinq heures, une bande mauve se leva à l'horizontale de la mer, redonnant aux choses leur relief réel, chassant la nuit de sa grisaille. Il ne faisait pas encore tout à fait jour et il ne faisait plus tout à fait nuit lorsque la porte du bungalow de Bellec s'ouvrit juste assez grand pour laisser passer Soledad. Dans la lumière glauque du petit matin, sa belle robe chiffonnée cachait des reflets verdâtres. Elle tenait à la main ses escarpins, les cheveux rattachés à la hâte, les yeux noircis d'une autre nuit sans sommeil. Elle regarda la barre du jour quelques instants, savourant ce minuscule moment de solitude qui lui appartenait et soupira, les épaules basses, avant de s'engager sur le trottoir de briques qui menait à la plage.

Nicolas la laissa prendre quelques mètres d'avance. Un instant, il eut la généreuse tentation de la laisser aller sans rien dire, mais ce fut plus fort que lui. Il bondit de sa cachette, la rejoignit en deux enjambées et surgit derrière elle en l'agrippant brutalement par l'épaule pour l'obliger à se retourner vers lui.

Le collier bleu brillait à son cou, dans tout l'éclat de ses trois rangs de perles de verres, la grosse larme de cristal azur se coulant entre ses petits seins de jeune fille. Elle l'avait gagné, ce collier, qu'elle regardait depuis si longtemps. Elle avait travaillé dur pour l'avoir… si dur… personne ne pouvait savoir ce qu'il lui avait coûté.

En un éclair, Nicolas revit Bellec dans la boutique de la Bisutería, choisissant avec soin le bijou, empochant la boîte dorée. Et lui, comme un abruti, qui en avait conclu qu'il achetait un souvenir à sa femme ou à sa fille. Un voile de fureur passa devant ses yeux et il se mit à secouer la petite avec violence.

— Comme ça, tu couches avec tout le monde… Sale pute ! Tu n'es rien qu'une sale pute !

— Lâche-moi, tu me fais mal.

— Pourquoi ? Pourquoi tu fais ça ?

— Lâche-moi, tu ne peux pas comprendre.

— Au contraire, je comprends très bien. Tu te vends au premier venu. C'est quoi ton tarif pour une nuit ? Dix, vingt dollars, un collier ? C'est ça ?

— Arrête ! Tais-toi ! Qu'est-ce que ça peut te faire ? Toi et moi, on ne vit pas sur la même planète, Nicolas !

— Tu aurais dû me prévenir, m'informer de tes activités. Moi aussi, je peux te payer... Moi aussi, je peux être ton client... Mais sans doute que tu préfères les vieux. C'est pour cette raison que tu n'as rien voulu faire avec moi ? Qu'est-ce qu'il a de plus que moi, Bellec, hein ?

Blessée à mort, Soledad fusilla le garçon du regard. Il était en train de tout gâcher, de lui prouver que les hommes étaient tous des égoïstes à mettre dans le même sac... tous des salauds qui ne pensaient qu'à assouvir leur petit désir de mâle, sans rien donner en échange. C'était pitoyable ! Elle contre-attaqua :

— D'abord, tu me fous la paix ! Ensuite, je couche avec qui je veux ! Je ne t'appartiens pas, Nicolas Fromont.

— Ben non, tu ne couches pas avec qui tu veux. J'ai bien vu ton manège. Tu couches avec ceux qui peuvent t'acheter. Seulement avec ceux-là. Les crétins dans mon genre, tu t'amuses avec, tu les allumes avec tes grands yeux et tes jolies fesses, c'est tout !

— Tu es sûr que c'est ce qui t'intéresse ? De payer pour faire l'amour ?

— Faire l'amour ? Ne parle pas d'amour…
tu ne sais même pas ce que c'est. Il ne s'agit
pas d'amour mais de *business*, de baise
dégueulasse…

— Et alors ? En quoi ça te concerne ? Je
ne suis pas ta sœur, ni ta blonde, comme tu
dis. Dans deux jours, tu seras retourné dans
ton paradis de jeune bourgeois, riche et sans-
cœur, et tu oublieras toute cette histoire. Des
filles, tu pourras en avoir autant que tu
voudras, sans te poser de questions, sans
rien éprouver pour elles… en les méprisant
et en les humiliant comme tu le fais avec moi
en ce moment, sans chercher à comprendre.
Tu es pareil aux autres, Nicolas Fromont, je
me suis complètement trompée à ton sujet.

Touché ! Elle avait raison, Soledad, mais
Nicolas était bien trop furieux pour en convenir. Il s'enfonça un peu plus dans la colère
et sortit un billet froissé de sa poche.

— Alors, si je suis comme les autres, tu
me réserves ta prochaine nuit. Tu vois, je te
paie même d'avance. Je fais les choses en
règle, tu ne pourras pas dire le contraire.

— Jamais, tu m'entends ! Jamais !

Elle lui cracha au visage, se dégageant
de sa poigne avec l'énergie du désespoir.
Quelques heures plus tôt, ils s'étaient aimés
avec tant d'innocence et de tendresse, et
maintenant, ils se regardaient avec haine.

La main de Nicolas se referma sur le collier bleu. De toutes ses forces, il tira sur le fil de nylon qui retenait les perles, jusqu'à ce qu'il se brise, marquant profondément le cou de la jeune fille. Les perles s'éparpillèrent sur le sol. Certaines se brisèrent en milliers d'éclats. La grosse larme d'azur rebondit sur le trottoir de briques et se perdit dans le sable. Soledad ne fit pas un geste pour la ramasser. La ligne rouge qui courait sur son cou dessinait un nouveau collier à même sa peau : celui de l'esclavage, celui de la souffrance…

Le regard et le cœur vides, elle tourna le dos à ce garçon pour lequel elle avait pleuré.

Hébété, Nicolas la regarda partir sans rien dire. Son geste de jalousie animale ne l'avait pas soulagé, bien au contraire, mais sa colère s'était évanouie. La main crispée sur son billet de banque, il réalisa avec épouvante ce qu'il venait de faire. C'était irréparable ! L'odeur d'une cigarette l'agressa brusquement. Torse nu, à moitié caché par le rideau, Maurice Bellec le regardait. La porte de son bungalow étant encore entrebâillée, il avait sûrement tout entendu, ce salaud ! Il n'y avait que quelques pas à faire pour lui casser la gueule. Mais qui était-il, lui, pour juger les autres ? Valait-il mieux que cet homme qui payait pour jouir de la jeunesse et de la grâce de Soledad ?

Le garçon se mit à courir sur la plage, mais il était trop tard. Il entendit la moto-cyclette qui s'éloignait, emportant sa proie. Retournant sa fureur contre lui, Nicolas se jeta dans la mer et se mit à nager de toutes ses forces vers l'horizon.

8

La vérité nue

Les muscles de ses bras brûlaient comme des tisons. Il avait nagé si longtemps qu'il ne voyait plus la côte. Cerné par les vagues de tous les côtés, il commença à paniquer. Un point de côté douloureux l'obligea à s'allonger sur le dos et à se laisser flotter jusqu'à ce que son souffle reprenne un rythme raisonnable.

À cet instant précis, Nicolas réalisa qu'il était en danger. Que faire? Appeler? Personne ne l'entendrait, il était beaucoup trop loin de la côte. Retourner tranquillement vers la rive? Plus facile à dire qu'à faire. D'abord, où était-elle cette rive? N'avait-il pas dérivé, porté par les courants marins? Attendre la venue d'un secours éventuel? Autant de chance que cela se produise que de gagner le gros lot.

Il en était là, comme un imbécile, à faire la planche, en se demandant s'il n'allait pas y rester, les yeux brûlés par le soleil naissant qui, comme chaque matin, brillait de tous ses feux. Mourir dans un océan de bleu, à seize ans, à cause d'une petite garce... ça n'avait vraiment pas d'allure. Il s'obligea à rester tranquille quelques minutes, à respirer profondément, bras et jambes écartés, vêtements collés sur lui comme une seconde peau, sandales perdues au fond de l'eau depuis belle lurette. Courageusement, la peur vrillée au ventre, il se remit à nager et rebroussa chemin en priant de toutes ses forces d'aller dans la bonne direction, tous les sens aux aguets.

Tout à coup, il crut discerner une voile blanche qui cinglait parallèlement à lui, à quelques dizaines de mètres. Rêvait-il? Prenait-il ses désirs pour des réalités? D'un creux de vague à l'autre, son espoir se précisa. C'était bien une voile, celle d'un petit dériveur comme on pouvait en emprunter un au maître nageur de l'hôtel pour se balader près de la côte.

En un éclair, Nicolas évalua ses chances. Le pilote du bateau allait-il remarquer cette petite tête qui sortait de l'eau? Ses appels seraient-il entendus ou avalés par la brise marine qui creusait les vagues? Le garçon n'avait pas tellement le choix. Il lui fallait agir vite, mettre toutes les chances de son côté. Trouvant un regain d'énergie, il se mit à nager vers la voile qu'il apercevait par intermittence en criant de toutes ses forces. Si celui qui conduisait le bateau ne le voyait pas, c'était foutu! Il ne serait plus capable de retrouver sa route, car il ne savait plus du tout dans quelle direction il nageait.

Pendant d'interminables minutes, le jeune homme joua à la cachette avec la petite embarcation qui tantôt s'approchait de lui, tantôt s'en éloignait. Au bord de l'hyperventilation, Nicolas ne sentait plus les muscles de ses bras et de ses jambes, tétanisés par l'effort. Totalement épuisé, il s'étendit sur l'eau en fermant les yeux.

La coque du dériveur faillit le heurter et la vague vigoureuse de son sillage le submergea quelques secondes, lui faisant boire la tasse. Affolé, il ouvrit les yeux et se débattit au moment même où une main puissante l'attrapait par le col de sa chemise et le plaquait contre le flanc du bateau. Une main! Un bateau! Sauvé! Il mit ses dernières énergies à aider son sauveteur à le hisser à bord sans faire chavirer la légère embarcation. Aussi mou qu'une guenille, il s'affala sur le pont. Le petit voilier vira aussitôt de bord en cinglant vers la rive.

— J'ai bien cru que je n'allais jamais te retrouver dans toute cette soupe, mon gars !

«C'est pas vrai ! Pincez-moi quelqu'un, je rêve !» Nicolas n'en croyait pas ses yeux. C'était bien Emilio Conti qui manœuvrait la barre, de main de maître. L'Italien avait l'air épuisé, les yeux profondément enfoncés dans leurs orbites, sa ridicule chemise hawaïenne détrempée par les embruns.

Nicolas était stupéfait. C'était bien la dernière personne qu'il s'attendait à voir venir à sa rescousse, lui qui préférait l'ombre du bar au soleil de la plage et le chlore de la piscine au sel de la mer. Essoufflé comme un phoque asthmatique, le garçon était incapable de prononcer un mot. Durant quelques minutes, il se laissa aller totalement. Il se sentait vidé.

Finalement, la côte n'était pas si éloignée que ça. Assis dans le bateau, on la voyait même très bien, la perspective n'étant plus la même. L'hôtel bleu était droit devant, émergeant de sa couronne de verdure fleurie sur fond de ciel radieux. Ils mirent tout de même une bonne demi-heure à rejoindre la rive, la marée descendante jouant contre eux. Lorsque l'étrave toucha les galets de la plage, l'Italien sauta prestement à l'eau, poussant l'embarcation en geignant, la hissant sur le sable sec, amenant la voile et arrimant le tout solidement au moyen d'un câble. Nicolas le laissa faire, trop épuisé pour réagir.

Lorsqu'il voulut descendre, ses jambes se dérobèrent sous lui, incapables de le porter tant elles tremblaient. Il tomba à genoux sur le sable. L'Italien le prit sous les bras, le traîna jusqu'à une chaise longue et l'allongea au soleil avant de s'asseoir pesamment à côté de lui. *« Une vraie mère poule, ce mec ! »*

— Ça va, petit ?

— Je ne sais pas trop ! Je ne sens plus mes bras et mes jambes.

— Repose-toi un peu… tu iras mieux dans quelques minutes.

Les deux hommes se turent un long moment. Tranquillement, la chaleur du soleil ranima Nicolas qui reprit quelques couleurs. La circulation sanguine se rétablissant, ses membres se mirent à le picoter. L'adolescent sentait bien qu'il devait engager la conversation, ne serait-ce que pour remercier son sauveteur, mais il ne savait pas trop comment s'y prendre. Il se jeta à l'eau – façon de parler – en espérant ne pas être trop maladroit.

— Vous me cherchiez ?

— Qu'est-ce ce que tu crois ? Que je faisais une croisière ? Lorsque tu as quitté le bar, hier soir, j'étais sûr que tu allais faire des conneries.

— Vous m'avez suivi ?

— Pas la peine ! Je savais déjà pour Bellec et la petite. Je me doutais bien de ce que tu allais découvrir puisqu'elle avait déjà passé plusieurs nuits dans son bungalow. C'est quand j'ai entendu la moto que j'ai pensé à vérifier si tout était correct pour toi. Je sommeillais sur une chaise, au bord de la piscine. J'ai rappliqué vite fait vers la plage et je t'ai vu te jeter dans la mer et te mettre à nager vers le large comme si tu avais le diable aux trousses. Le temps que je fasse sauter le cadenas du bateau et que je le pousse à l'eau et tu étais déjà loin. J'ai patiné un peu, car il y a un siècle que je n'ai pas manœuvré un machin pareil… mais au fond, c'est comme le vélo, ça ne s'oublie pas ! Quand même, tu m'as fait une belle peur.

— Si je comprends bien, j'ai eu de la chance que vous me trouviez ?

— On peut dire ça, oui ! Mais qu'est-ce qui t'a pris ?

— J'étais enragé. Je crois que je n'ai jamais été aussi frustré de ma vie… et je me suis conduit comme le dernier des crétins.

— Ne t'en fais pas trop, mon garçon. Ça arrive à tout le monde de perdre les pédales, un jour ou l'autre. Il faut dire que les circonstances ne t'aidaient pas…

— Vous ne pouvez pas comprendre !

— Tu crois ?

À nouveau, un long silence les sépara. Nicolas rumina des pensées sauvages pendant quelques minutes. C'était plus fort que lui, il voulait en savoir davantage.

— Comme ça, vous saviez… pour Bellec et Soledad ?

— Sûrement ! La négociation s'est faite au vu et au su de tout le monde, sans discrétion.

— La négociation ? Vous charriez…

— Mais pas du tout, ne sois pas naïf… ces choses-là se discutent. Soyons cyniques, c'est un échange de services. D'un côté, il y a quelqu'un qui a quelque chose à vendre, de l'autre, il y a quelqu'un qui est prêt à payer, et au milieu, il y a la marchandise.

— Soledad !

— Exact ! Et je doute qu'elle ait eu son mot à dire dans tout ça !

Le garçon se pompa un peu. Il revit en un éclair le sourire de la jeune fille, l'éclat de ses yeux, toute son attitude équivoque lorsqu'elle dansait avec le Français. Il cracha sa rancœur.

— Pourtant, elle était bien d'accord. Vous le savez aussi bien que moi. Elle a accepté,

139

non ? Personne ne l'a traînée par les cheveux jusqu'au bungalow de ce type. Elle y est allée de son plein gré… je l'ai vue… de mes propres yeux… C'est une pute !

Nicolas s'emballait. La colère remontait en lui par vagues au souvenir de la scène dont il avait été témoin. Emilio Conti l'arrêta d'un geste autoritaire.

— Une minute, une minute ! Qu'est-ce que tu sais de tout cela à part les quelques âneries que tu as pu voir à la télé ou sur Internet ? Ne sois pas trop sévère avec cette gamine. Son avenir est pas mal plus sombre que le tien. Tu ne sais rien d'elle, de ce qu'elle vit.

— Si, quand même… on a beaucoup parlé.

— Elle t'a embobiné comme elle a bien voulu avec ses beaux yeux et tu étais prêt à gober n'importe quoi. Il n'y a sans doute pas grand-chose de vrai dans tout ce qu'elle t'a dit. Je peux te raconter son histoire, si tu veux. Je crois que j'en sais un peu plus long que toi.

— Comment ça ?

— Le barman de la piscine. Il connaît bien le type qui la conduit dans les hôtels tous les soirs avec sa moto. Ils sont du même village… de vagues parents si j'ai bien compris et je ne serais pas surpris si, lui aussi, y trouvait quelques bénéfices marginaux. Il y a beaucoup de complicités dans ce petit commerce... des gens qui empochent des pourboires parce qu'ils savent regarder ailleurs, le moment venu. Tout le monde, ou presque, y trouve son compte.

— Là, vous exagérez !

— J'aimerais bien... mais revenons à cette petite fille. Je reconnais avec toi qu'elle est jolie comme un cœur. Une vraie princesse avec sa peau claire et ses grands yeux... et tellement de charme que tous les regards convergent sur elle lorsqu'elle apparaît quelque part.

Nicolas laissa échapper un ricanement rauque.

— Ma parole, on dirait qu'elle vous est tombée dans l'œil, à vous aussi !

— Je la trouve bien mignonne, c'est vrai ! Mais je ne suis pas du tout attiré par elle de la façon que tu sous-entends. Si tu veux tout savoir, j'aime les femmes adultes. Cette gamine, elle a treize ans, l'âge d'une de mes filles. L'âge de mes petites élèves au collège. Je ne peux pas la voir autrement que comme un père.

— Treize ans ! Vous êtes sérieux ?

— Treize ans, tout juste ! Je parie qu'elle s'est bien vieillie à tes yeux. Si elle t'avait dit son âge réel, tu l'aurais considérée comme ta petite sœur, pas vrai ?

Treize ans ! Nicolas était estomaqué. Il s'était drôlement fait avoir. Maintenant qu'il y pensait, c'était vrai que Soledad lui avait toujours semblé très, très jeune. Il eut une pensée rapide pour Myriam, la jeune cousine avec laquelle il avait tant de plaisir à se tirailler durant les fêtes de famille. Elle aussi, elle avait treize ans... Une petite fille !

L'Italien était lancé. Il n'y avait qu'à l'écouter. Selon lui, Soledad ne possédait que sa beauté et il était presque impossible, dans le milieu où elle vivait, qu'elle échappe au piège dans lequel elle était actuellement prisonnière. On ne savait pas trop comment elle était tombée sous la coupe du gars à la moto. Elle disait que c'était son frère. Ça restait à voir. Elle racontait aussi qu'elle habitait avec sa mère. Impossible de départager le vrai du faux dans tout cela. Mais, comme c'était souvent le cas, qu'elle ait été vendue à un proxénète par sa famille ou bien que ce soit son propre frère lui-même qui la vende au plus offrant, le résultat était le même. Elle se prostituait pour le bénéfice de quelqu'un. Elle n'était d'ailleurs pas toute seule. Tous les soirs, un essaim de jolies filles envahissaient les bars des hôtels, vers minuit. Pas une, parmi elles, n'avait beaucoup plus de seize ans et elles avaient toutes un souteneur qui empochait leurs gains de la nuit en échange d'une certaine protection, d'un peu de confort et de quelques billets. Nicolas protesta :

— Mais pourquoi elles font ça si elles en retirent si peu ?

Pourquoi, en effet ? Selon Emilio, tout était une question de contexte. D'après ce qu'il en savait, la plupart de ces filles n'allaient plus à l'école depuis longtemps, et si elles y étaient allées un an ou deux, c'était le bout du monde. Donc, elles n'avaient ni métier ni instruction. Autour d'elles, il y avait le dénuement des bidonvilles et le miroir aux alouettes du quartier des touristes : les vitrines bourrées de belles robes, de bijoux, de produits de beauté inaccessibles... les grands hôtels luxueux où des hommes aux poches pleines et au sourire paternel étaient prêts à leur donner la lune – et même un peu plus – pour un geste tendre ou une nuit d'amour. Certaines de ces gamines s'étaient retrouvées à la rue, crevant de faim, complètement livrées à elles-mêmes, sans personne pour les guider dans la vie. La misère peut conduire aux pires compromis. Parfois, la drogue venait brouiller les cartes, un peu plus. Pour oublier la réalité, plusieurs d'entre elles étaient prêtes à faire n'importe quoi. Il n'était pas impossible non plus qu'on les pousse vers la coke ou l'héro pour pouvoir mieux les contrôler. Proies bien faciles et bien fragiles, qui avait le droit de les juger?

— Il y a quand même d'autres alternatives. Ce ne sont pas toutes les filles qui deviennent prostituées. Elles ne pourraient pas faire autre chose? s'écria Nicolas, révolté par ce qu'il entendait.

— Bien sûr! Ta Soledad pourrait trouver une place de femme de chambre dans un hôtel. Récurer une vingtaine de chambres chaque jour pour gagner en un mois ce qu'elle peut se faire en une nuit... pas sûr que ça la tenterait. Elle pourrait aussi devenir réceptionniste ou employée à l'administration d'un hôtel, comme Maria-Lucia, ou encore vendeuse dans une boutique... pas sûr qu'elle soit allée suffisamment à l'école pour pouvoir obtenir un de ces emplois. Et là aussi, elle devrait dire adieu aux belles robes et aux fanfreluches hors de prix qu'elle aime tant. Le drame, c'est que son joli corps lui permet d'avoir tout de suite toutes les bébelles qui lui semblent importantes. Sans oublier le côté émotif.

— Le côté émotif? Quel côté émotif?

Patiemment, l'Italien reprit ses explications. Cette jolie petite fille rapportait beaucoup d'argent. Donc, on avait tout intérêt à la protéger, à la chouchouter, à l'habiller avec soin, à la flatter, à lui manifester de l'estime... peut-être même de l'amour. On pouvait même extrapoler, si elle habitait réellement chez sa mère, que c'était elle qui faisait bouillir la marmite et permettait à un ou plusieurs de ses frères et sœurs de grandir plus dignement qu'elle. Donc, dans son environnement immédiat, son importance n'était pas négligeable. Et il y avait aussi les clients, tous ces vieux mecs qu'elle rencontrait, émerveillés par sa jeunesse et sa beauté, prêts à lui faire de somptueux cadeaux. Il y avait fort à parier qu'elle avait appris très vite à les manipuler, à ruser avec leurs vices, à exploiter leur culpabilité de pédophiles... pour ceux qui avaient encore une once de sens commun. Elle avait un indéniable pouvoir sur les hommes et savait en jouer habilement. Nicolas tiqua sur le mot «pédophile».

— Les pédophiles, ce ne sont pas ceux qui s'attaquent aux petits enfants?

L'Italien était pas mal ferré sur la question. Il se fit dogmatique.

— Dans le cas présent, puisque cette petite a atteint la puberté, le terme approprié serait «éphébophile». C'est une nuance qui vaut ce qu'elle vaut. Mais entre nous, un type de cinquante ans qui paye pour passer la nuit avec une petite de huit ans ou une de treize… tu vois une différence, toi ? Moi pas. Il y a quelque chose de profondément pervers dans cette catégorisation. Comme si le fait qu'elle ait quelques années de plus enlevait de la gravité au geste posé.

Et il en rajouta. On parlait des gamines, mais les jeunes garçons étaient logés à la même enseigne. Il y avait presque autant de garçons que de filles embarqués dans cette *game*. Ici, on ne les voyait pas au bar des hôtels, comme les petites nanas, les approches se faisaient sur la plage. C'était plus discret – à peine –, mais le résultat était le même.

Nicolas tombait des nues. En faisant un effort de mémoire, il revit l'escadron de jeunes mecs qui tournicotaient, moulés dans leur boxer signé dernier cri, près du kiosque aux serviettes de plage ou près de la cabane du responsable des planches à voile et des pédalos. Le terme d'« éphèbe » leur allait comme un gant. Ces types ne semblaient avoir rien d'autre à faire que de se pavaner sur la plage pour faire admirer leurs muscles parfaits ou la finesse de leur peau havane et d'organiser des matchs de volley-ball en riant aux éclats. Maintenant, il comprenait tout. Façon comme une autre de mettre « la marchandise » en évidence. Le cynisme de l'Italien commençait à déteindre sur Nicolas. Sa tristesse aussi.

— Alors, si je vous comprends bien, dans ce trou pourri, il n'y a que deux options : être pauvre ou se prostituer ?

— Tu parles à travers ton chapeau, Nicolas Fromont. Comme si la prostitution n'était pas, elle aussi, une forme de pauvreté ! Une des pires, tu ne penses pas ? Plus sournoise, plus pernicieuse, puisqu'elle attaque l'âme, qu'elle tue l'espoir, qu'elle entretient l'illusion que ce qu'on peut acheter ou vendre comblera ou remplacera tout le reste. Surtout l'amour ! Quand je pense à cette petite, je suis dévasté par le chagrin. J'ai essayé de lui parler... de lui faire comprendre... Elle m'a écouté poliment. C'est une fille intelligente. Diablement lucide. Sais-tu ce qu'elle m'a répondu ?

— Non.

— Qu'il était déjà trop tard pour elle. À treize ans, bon Dieu !

Nicolas le revit au bar, face à une Soledad au visage fermé qui semblait s'ennuyer à mort, qui faisait oui, qui faisait non de la tête. Le gros homme ne semblait pas très adroit avec les femmes, surtout lorsqu'il s'agissait d'exprimer des sentiments, des émotions. La subtilité n'était pas son fort, même si sa bonne volonté ne faisait aucun doute.

— De toute façon, qu'est-ce que vous auriez pu faire?

— Pas grand-chose, je le crains. Mon discours n'a pas pesé lourd en regard du portefeuille bien garni du marchand de café. Le client a toujours raison.

— Celui-là! Quand je pense à lui, j'ai une envie folle d'aller lui péter la gueule. Vous êtes sûr qu'on ne peut rien faire de ce côté-là?

— Ne sois pas naïf, petit! Ce qu'il magouille ici, il le fait en toute impunité. Dans sa petite ville de Bretagne, bourgeoise et bien-pensante, si jamais il osait s'attaquer à une mineure, il se retrouverait aussi sec en prison, au ban de la société pour le restant de ses jours et renié par sa famille s'il en a une. Ici, avec du fric, il peut assouvir tous ses vices. Personne ne le dénoncera. Et il se fiche complètement de ce qu'on peut penser de lui.

Nicolas argumenta qu'il y avait pas mal de Français à l'hôtel. Peut-être que certains d'entre eux pourraient porter plainte contre lui à leur retour en France.

Emilio hennit un petit rire grinçant qui s'acheva en quinte de toux. Il tapota ses poches à la recherche d'une cigarette. Elles étaient vides. Il continua à mettre des points sur les i aux illusions de Nicolas.

C'était vrai! Beaucoup de gens étaient prêts à se scandaliser. En surface. Momentanément. Mais lorsqu'il s'agissait de poser un geste précis, il n'y avait plus personne. Lequel de ces touristes sympathiques, de retour à la maison, se soucierait encore de Soledad? De l'attitude de leur compatriote quinquagénaire? Ils étaient ici en vacances, pour quelques jours, et au fond, ils s'en tapaient de ce qui pouvait se passer. Avec le temps, ils pourraient même penser qu'ils n'avaient pas bien vu, qu'ils s'étaient trompés. Et si, par miracle, il y en avait un, plus courageux que les autres, qui se décidait à porter plainte, ce serait sa parole contre celle de l'autre. Quant à réunir des preuves formelles... alors là, bonne chance! La mafia locale avait l'œil bien exercé. Beaucoup trop d'intérêts étaient en jeu.

— On ne peut rien faire contre tout ça? Rien du tout, vous êtes sûr?

L'Italien ne répondit pas tout de suite. Ses épaules s'affaissèrent. Dans la poche arrière de son short, il venait de trouver un vieux paquet de gomme à mâcher, imbibé d'eau de mer. Il plia une plaquette dans sa bouche et se mit à la mastiquer furieusement en fuyant le regard de ce garçon qui mendiait un peu d'espoir.

— Si… peut-être… Tu vois, la génération à laquelle j'appartiens a perdu beaucoup de ses repères moraux. Dans notre société, dès qu'on parle de morale, on se fait traiter de ringard, de quétaine. Pourtant… Nous nous sommes laissés piéger par le confort et nous mesurons la valeur d'une personne à ce qu'elle possède, plus qu'à ce qu'elle est vraiment. Pour beaucoup de gens de mon âge, seuls comptent l'instant présent et le plaisir qu'on peut en retirer. Mais peut-être que toi et ceux de ta gang, vous serez capables de faire bouger les choses. Je le souhaite. Mais ce sera long et ardu. Dans l'immédiat, on ne peut que constater le désastre. La prostitution a toujours existé… le plus vieux métier du monde, comme on dit. Mais là, ça touche de plus en plus d'enfants et ça prend des proportions sidérantes, comme si toutes les barrières étaient tombées. En bio, j'apprends à mes élèves qu'une espèce animale qui ne protège pas ses petits est condamnée à disparaître. L'homme ne fait pas exception à cette règle. Dans le fond, même si cette révélation te fait l'effet d'un coup de poing en plein front, dis-toi que c'est important que tu aies pris conscience de tout ce bordel. Pour que tu puisses en témoigner. Qui sait? Peut-être que cela orientera le choix de ta carrière? Peut-être feras-tu partie de ceux qui renverseront la vapeur ? L'espoir, même s'il est mince, est permis. Tant qu'il y aura des hommes et des femmes... dignes de ce nom.

Nicolas ne répondit rien, mais il redressa la tête. Il avait raison, ce gros ! Il ne devait pas baisser les bras. Il y avait sûrement quelque chose à tenter... et si ce n'était pas possible tout de suite, cela serait pour plus tard. Dès son retour au Québec, il se promettait d'écrire un long article pour son journal étudiant et d'y développer une argumentation en béton. Et il allait chercher des informations. Il existait sûrement des regroupements, des militants qui combattaient ce désastre. Le pire de tout, c'était le silence ! Pas question de faire l'autruche, comme si tout ce merdier n'existait pas. Il se sentit tout de suite mieux d'avoir pris cette décision.

En gémissant, Emilio Conti s'extirpa de sa chaise. Il avait l'air pitoyable avec sa chemise croûtée de sel, ses frisettes teintes qui pendouillaient et les grandes poches mauves qui lui mangeaient la moitié des joues. Une bouffée de gratitude submergea Nicolas et il eut soudain un regret cuisant de ses préjugés passés.

Il tendit la main vers son sauveur. Le tutoiement lui vint spontanément aux lèvres.

— Tu es un chic type, Emilio... Merci !

Le gros homme serra la main du jeune homme, à lui broyer les phalanges. Un vrai sourire complice lui gomma quelques années autour des yeux.

— C'est bon! Allez, je te laisse maintenant, je suis crevé. Je vais aller faire un somme et tu devrais en faire autant. *Ciao,* p'tit con!

L'adolescent suivit des yeux sa silhouette pataude, jusqu'à ce qu'elle disparaisse au détour d'un pan de mur. Le conseil était bon. Lui aussi, il se sentait au bout du rouleau. Il se leva en grimaçant, des crampes lui cisaillant les mollets et il se dirigea lentement vers son bungalow.

Juste à côté du trottoir de briques où il posa le pied, un éclat de lumière attira son attention. En se penchant, il aperçut quelques petites perles de verre qui ne tarderaient pas à être avalées par le sable. Il trouva la larme de cristal un peu plus loin, au creux d'une touffe d'herbe. Il la serra dans son poing. Lorsqu'il la mit dans sa poche, la jolie silhouette de Soledad lui ravagea le cœur et il sut que cette histoire n'était pas finie. Qu'elle serait là longtemps, comme l'écho d'une de ses faiblesses, d'une de ses limites. Jamais il ne s'était senti aussi *cheap* qu'à cet instant précis.

Assise sur la terrasse du bungalow, Andréa attendait son fils. Son beau visage fatigué était baigné par la lumière du matin. Que savait-elle au juste ? Elle prit son garçon dans ses bras et le serra très fort. Il se laissa aller contre elle comme un bébé, se courbant pour poser la tête sur son épaule. Sans rien dire, elle le conduisit jusqu'à son lit où il s'écroula. Les explications viendraient plus tard. Pour le moment, Nicolas ne désirait qu'une chose : plonger dans le néant jusqu'au départ de l'avion.

Dans le bungalow voisin, les rideaux étaient parfaitement tirés, la porte hermétiquement close sur ses douteux secrets. Bellec dormait... du sommeil du juste !

9

Le paradis perdu

Nicolas dormit jusqu'au mitan de l'après-midi. Ce fut l'inconfort qui le réveilla. Avant de se jeter sur son lit, il avait arraché d'un geste sa chemise encore humide, mais avait gardé son bermuda. Le sel avait séché sur sa peau. L'odeur de l'iode, mêlée à celle de la transpiration, distillait une senteur écœurante, et il avait l'impression, tant sa peau le piquait, qu'une armée de petits crabes se baladait sur tout son corps.

Lorsqu'il mit le pied à terre, il grimaça. Il était courbaturé, «raqué» comme c'était pas possible. Andréa le regarda avec une expression indéchiffrable. Elle était occupée à plier des vêtements, sa valise ouverte devant elle. Leur avion partait aux petites heures, le lendemain matin. En principe, ils devaient libérer le bungalow pour midi, mais elle avait obtenu quelques heures de sursis en expliquant que son fils était souffrant et en versant un gentil pourboire au concierge de la réception.

Le jeune homme s'enferma dans la salle de bains. Des plaques rouges marbraient sa peau, et couraient là où les coutures de son short s'étaient imprimées. Un superbe coup de soleil transformait son nez en lumignon presque phosphorescent. Lorsqu'il ouvrit la douche, il remarqua du sang séché sur sa paume. L'eau tiède le soulagea de ses petites misères, sans parvenir, toutefois, à lui rendre un semblant de sérénité.

Lorsqu'il revint dans la chambre, drapé dans une serviette de bain, rasé de près et le nez couvert de pommade calmante, Andréa l'attendait de pied ferme, assise sur son lit. L'heure des explications avait sonné. Sans mot dire, car il ne savait par où commencer, il entreprit de vider les poches de son short. Couteau suisse, paquet de mouchoirs en papier détrempé, quelques pièces de monnaie... rien d'extraordinaire. Mais, brusquement, son expression changea lorsqu'il mit la main sur la larme de cristal azur et le billet de vingt dollars qu'il avait brandi sous le nez de Soledad. En une fraction de seconde, il revit le regard enflammé de la jeune fille, la détresse qu'il avait ignorée, le mépris dont il l'avait accablée, sa dignité parfaite lorsqu'il lui avait arraché son collier.

Ce fut plus fort que lui. La tension des dernières heures, des derniers jours, avait pesé lourd sur ses épaules. Sans qu'il le veuille, les larmes se mirent à ruisseler sur ses joues, et lorsque sa mère s'approcha, il se mit à sangloter, les bras jetés autour de sa taille, comme il ne l'avait plus fait depuis plusieurs années, comme il pensait ne plus jamais pouvoir le faire.

Lorsque le gros de l'orage fut passé, Nicolas raconta tout à Andréa : la jolie métisse antillaise, les rendez-vous sur la plage, la magie du jardin sous la mer, l'amour et le désir fous, le commerce sordide dont la petite était l'enjeu, les nuits dans le bungalow voisin, la robe jetée sur le sol, le collier bleu dont il ne restait que cette larme qui avait entaillé sa main…

Andréa ne disait mot. Elle avait vu certaines choses et elle en avait déduit ou deviné plusieurs autres, mais elle était loin d'imaginer le drame qui s'était joué à quelques mètres d'elle. Comme tous les parents, elle en était la dernière informée. Avec une surprise amère, elle réalisa que son fils était devenu un homme qu'elle ne connaissait pas et que le garçon qu'elle chérissait appartenait à ses souvenirs, même s'il s'autorisait encore à être vulnérable devant elle. Lorsque Nicolas en arriva au marchandage qu'il avait proposé à Soledad, elle se sentit consternée. Son humeur changea, et le garçon suivit sur son visage tous les sentiments qui y affleuraient : la tristesse, la déception, l'incompréhension. Il préféra s'arrêter là. Lorsqu'elle lui parla enfin, sa voix n'était qu'un murmure :

— Tu as fait ça, Nicolas ?

— Oui, m'man ! Si tu savais comme je m'en veux !

— Mais pourquoi ? Pourquoi t'abaisser au même niveau que ce sale type ?

— La colère, la frustration, je ne sais pas quoi, m'man ! Je ne me rendais plus compte de ce que je disais ni de ce que je faisais.

— Et tu crois que c'est une excuse ? Que tu as le droit d'insulter et de mépriser les gens parce que tu n'obtiens pas ce que tu veux tout de suite ? Parce que tu es en colère ?

— Non… je sais.

— Tout cela m'étonne de toi, mon fils. Tu t'es laissé emporter par la rage, sans prendre le temps de réfléchir. Cette jeune fille, elle avait retrouvé quelque chose de précieux avec toi, quelque chose de doux, et elle t'avait fait confiance. C'était peut-être la première fois de sa vie qu'elle pouvait vivre quelque chose de «normal» avec un garçon… qu'elle avait l'occasion d'apprivoiser les gestes et les mots de l'amour… comme tous les jeunes sont en droit de le faire… qu'elle vivait des moments d'intimité dépourvus de tout marchandage… Il a fallu que tu gâches tout. Veux-tu que je te dise, elle a été bien plus généreuse que tu l'imagines dans toute cette histoire.

— Comment ça?

— Tu n'as pas pensé une seule minute, qu'en se refusant à toi, elle te protégeait?

Non, il n'avait pas pensé à ça! Une telle idée ne lui avait même jamais effleuré l'esprit. Comme l'Italo, quelques heures plus tôt, Andréa se permit quelques explications musclées. Son grand escogriffe de fils s'était-il demandé une minute combien de «clients» avait eus sa jeune amie? Combien de «passes» elle avait pu faire, en un mois, en un an? Et dans quelles conditions d'hygiène et de sécurité? Les préservatifs lui étaient-ils accessibles? Si elle était malade, pouvait-elle être soignée tout de suite, de façon efficace? N'était-elle pas une candidate à haut risque face au VIH ou à quelque autre calamité vénérienne? Son jeune âge ne garantissait en rien qu'elle puisse être épargnée… c'était même tout le contraire puisque certains clients, rassurés par sa verte jeunesse – et peut-être même sciemment abusés sur son expérience –, en profitaient sûrement pour laisser tomber les précautions qu'ils auraient prises avec une femme plus mûre.

Nicolas se crispa. « *Toujours la même rengaine ! Je sais bien qu'elle fait son job de mère, Andréa, mais elle aurait pu m'épargner le couplet sur les capotes et les maladies honteuses. N'empêche qu'elle n'a pas tout à fait tort, même si elle insiste un peu trop lourdement sur le sujet… Ma parole, on dirait qu'elle est du côté de Soledad… solidarité féminine, sans doute… Une chance que je ne lui ai pas raconté ma trempette matinale dans la mer. J'espère qu'Emilio saura tenir sa langue. J'ai intérêt à garder ce bout de l'histoire pour moi seul, si je ne veux pas qu'elle pète totalement les plombs… Papa, peut-être, me comprendrait, lui !* »

Il était de mauvaise foi et il le savait. Au fond, cette engueulade en règle le rassurait tout en lui remettant les priorités à la bonne place. Il plongea ses yeux dans ceux de sa mère et, au-delà du courroux, il y lut un amour infini, celui qu'il avait toujours connu.

— Qu'est-ce que je dois faire, m'man ?

— Tu dois faire la paix avec cette petite, mon Nico.

160

— Mais comment?

— Je n'en sais rien. Ce n'est pas à moi de te le dire. Trouve-la. Cherche-la. Parle-lui. Ne pars pas d'ici sans avoir au moins tenté de t'expliquer avec elle. Elle le mérite, tu ne crois pas?

Trouve! Cherche! Parle! Facile à dire! Elle en avait de bonnes, Andréa! Il n'avait aucune idée de l'endroit où habitait Soledad. Il ne connaissait même pas son nom de famille. Une seule solution: retourner en ville sur les lieux où il lui avait parlé pour la première fois. Avec un peu de chance, il pourrait laisser un message pour elle à une de ses copines. Avec beaucoup de chance, il pourrait même la revoir, elle. À cette perspective, son cœur s'emballa.

Pas question de faire la route de l'hôtel au centre-ville à pied comme la première fois. Nicolas emprunta un vélo à la guérite du gardien de sécurité, qui le salua comme une vieille connaissance. Un petit quart d'heure plus tard, après quelques coups de pédaliers pénibles, il rangea sa bicyclette devant la vitrine de la Bisutería.

À quatre heures de l'après-midi, il n'y avait pratiquement personne aux terrasses.

Le petit fief des touristes était désert. Tout le monde était encore à la plage. Les deux vendeuses de la boutique étaient assises derrière leur comptoir, porte soigneusement close sur la fraîcheur de l'air conditionné. Elles papotaient avec animation, profitant de ce répit bienvenu dans leur longue journée.

Nicolas n'osa pas entrer tout de suite. Pourtant, c'était la chose à faire. Ces deux filles devaient sûrement connaître Soledad puisque celle-ci passait son temps, le nez scotché dans la vitrine, à admirer et à comparer les petits bijoux qui y étaient exposés. Mine de rien, le garçon passa en revue tous les colliers étalés sur le velours noir mais celui qu'il cherchait était unique, enfoui à jamais dans le sable. Ses perles bleues dispersées, il avait perdu tout son sens. N'en restait qu'un souvenir douloureux, qui submergeait le garçon d'une puissante vague de culpabilité.

Soit ! Le collier bleu n'existait plus… mais il y en avait d'autres. La vitrine en était pleine. Le jeune homme froissa le billet de vingt dollars dans sa poche. Combien coûtaient ces petites folies de filles ? Celui-là avec du corail rouge et des boules dorées ? Ou encore cet autre avec des perles nacrées ? Même si ce n'était pas tout à fait ce qu'il cherchait, il avait déjà pris inconsciemment une décision. Celle de remplacer le collier arraché à Soledad par un autre collier. Un collier contre un autre collier ? Un geste de paix contre un geste de colère ? Il n'espérait pas, par là, se racheter, mais c'était une façon tangible de s'excuser. Encore fallait-il trouver un bijou qui soit digne d'elle.

En soupirant, il se contraignit à pousser la porte de la boutique. Les deux vendeuses se turent. L'une d'elles se leva et lui fit un sourire engageant, au garde-à-vous derrière son comptoir. Sans se presser, le jeune homme fit le tour des étalages. Tout à coup, son regard fut attiré par un bijou très semblable à celui qui avait été brisé et qui, manifestement, portait la griffe du même artiste. Au lieu d'être bleu, il était vert, et la larme de cristal était remplacée par une petite lune de jade clair. Vert comme l'espoir ! Pendant une seconde, Nicolas s'en voulut de cette pensée cucul, mais il se décida tout de même à demander le prix de l'objet.

— *Quince dólares, señor !*

— Quinze dollars ? Vous êtes sûre ?

— *Sí, sí, señor ! No es mucho para este trabajo.*

Quinze dollars ! Nicolas était consterné. La petite reine antillaise vendait ses nuits pour une somme dérisoire. *« Quel taré, je fais ! Et si le collier avait coûté deux cents ou trois cents fois plus, est-ce que ça aurait été plus acceptable, plus honorable, plus juste pour elle! Je raisonne comme un nul!»*

Le garçon était en pleine confusion, écartelé entre ses préjugés anciens et sa toute nouvelle compréhension des faits, ses points de repère bousculés par les événements. Il sortit le billet de sa poche et le posa sur le comptoir devant la jeune fille qui s'empressa de coucher le collier vert sur le lit de coton d'une petite boîte dorée.

En sortant du magasin, Nicolas eut un flash et revit Bellec empocher une boîte très semblable. Une amère bouffée d'animosité lui monta à la gorge. Celui-là, il lui réservait un chien de sa chienne. Il ne savait pas encore quoi, mais, foi de Fromont, il ne quitterait pas cette île sans lui avoir joué un tour de sa façon.

Que faire maintenant? Il remonta sur sa bécane, refit le tour des quatre rues du paradis des touristes. Personne. Et il avait été trop gêné pour demander des renseignements aux filles de la boutique. Attendre un peu? Retourner à la Bisutería? Faire un dernier tour au marché des artisans? Il préféra acheter une BD à la librairie internationale toute proche. Il s'assit sur le bord du trottoir et se mit à lire. À faire semblant plutôt. Il fallait attendre… encore une fois. Son intuition lui disait que ce ne serait pas inutile.

Les yeux perdus dans son magazine, sans y voir quoi que ce soit, il essayait de comprendre ce qui pouvait pousser un homme mûr, d'apparence on ne peut plus convenable, vers une fille aussi jeune. Encore une enfant. Il ne parvenait pas à trouver une explication satisfaisante.

«Qu'est-ce qu'il recherche, ce Bellec, dans tout cela? Se payer une nana jeune et belle? Sûrement, mais ce n'est pas tout. Il pourrait coucher avec une fille de vingt ans qui serait tout aussi belle et presque aussi jeune que Soledad. Ce ne serait peut-être pas acceptable pour tout le monde, mais, au moins, ce serait légal. Non… il y a autre chose. Ça doit l'exciter de baiser avec une fillette parce que c'est interdit, parce qu'il peut la dominer facilement avec son fric. Ici, il s'achète du rêve, du pouvoir, de l'exotisme à bon compte. Pathétique! Ce type, c'est un malade, un obsédé. Mais ce n'est pas une excuse… c'est un sale type!»

Perdu dans ses pensées, il ne remarqua pas ce qui se passait autour de lui. Presque cinq heures et la rue s'animait. Les terrasses se remplissaient doucement. Le bruit de la moto le ramena brusquement sur terre. Lorsqu'il leva les yeux, il vit plusieurs jeunes filles, bras dessus, bras dessous, qui arpentaient la rue en riant comme des folles. Elles venaient vers lui et, petit miracle, Soledad était parmi elles. Nicolas se sentit soudain devenir mou comme de la guimauve. Assis comme il l'était, au ras du trottoir, aucune d'entre elles ne l'avait vu. Aussi, lorsqu'il se leva et déplia sa haute silhouette, il provoqua une petite commotion dans le groupe. Instantanément, les adolescentes se placèrent devant Soledad, comme pour la protéger. Elles savaient. La petite reine avait raconté sa mésaventure.

Mais Nicolas s'en fichait, des autres. Il n'avait d'yeux que pour Soledad. Elle était blême et le fixait sans ciller, le front plissé. Sur son cou, la ligne rouge était encore bien visible. Elle était si petite, si vulnérable, malgré son rempart de copines, qu'il se demanda pour la énième fois, comment il avait pu être aussi brutal avec elle.

— Soledad, je peux te parler ?

— *No señor !* Moi, je n'ai rien à te dire.

— S'il te plaît, *por favor*, juste une minute. J'ai quelque chose pour toi.

La *chica* le regardait dans les yeux, méfiante. On l'aurait été à moins. Pouvait-elle se fier à lui ? Devait-elle lui faire confiance, alors qu'il l'avait si odieusement traitée ? Il avait l'air si malheureux, si gauche, qu'elle sentit une partie de sa colère s'évanouir. Une partie seulement. Après tout, elle ne risquait

166

rien à l'écouter. Il n'allait tout de même pas la battre au milieu des gens, en pleine rue. Certes, il pouvait encore la blesser, l'humilier avec des paroles… mais le mépris, elle avait l'habitude !

Après un long silence, elle fit un pas vers le grand dadais qui s'obstinait à faire rouler un caillou du bout de sa sandale, les deux poings serrés. Elle se détacha de ses gardes du corps en leur faisant signe de rester à proximité. Nicolas l'entraîna quelques mètres plus loin et sortit la boîte dorée de sa poche. La jeune fille reconnut l'emballage et son visage s'éclaira un bref instant.

— Soledad, c'est pour toi ! *Es para ti.* Prends-la.

Sans dire un mot, elle tendit la main vers la boîte et l'engouffra dans son sac de paille sans l'ouvrir. Elle n'avait pas l'intention de lui faciliter les choses. Elle avait tout compris. Ce cadeau appelait un pardon, mais elle n'était pas encore prête à l'accorder. Il fallait qu'il fasse un pas de plus.

— Je voulais te dire… Je sais pas trop comment… Est-ce que tu peux… pour hier soir… ?

Lamentable ! Il s'embourbait tellement dans ses explications qu'il en faisait presque pitié. Il avait manifestement besoin d'un petit coup de pouce. Quelques mots suffirent :

— *Sí?* Et alors?

— Je n'aurais pas dû faire ça, Soledad! Je te demande pardon.... pour tout...

Il fut incapable d'en dire davantage, mais son regard plaidait tout le reste. Il avait suffi de quelques heures. Il l'avait aimée comme un fou, désirée avec rage pour lui tout seul... il l'aimait encore... il l'aimerait toujours... elle serait toujours là, dans sa mémoire, comme un cadeau. Grâce à elle, il avait découvert que l'amour était un sentiment à multiples facettes, qui se transformait parfois en désert aride. Soledad-Solitude! À cet instant précis, muré dans son silence, il se sentait terriblement seul.

— *Está bien*, Nicolas. *Adiós!*

Voilà! Il l'avait fait. Il avait demandé pardon. Pour ces quelques mots, elle sut qu'elle avait eu raison de l'aimer et de partager avec lui son jardin sous la mer. Combien de mecs auraient été capables d'un tel geste? Lorsqu'elle offrit son sourire éblouissant à Nicolas, ses yeux d'ambre avaient retrouvé toute leur douceur.

— Bonne chance, Soledad!

Faisant virevolter les volants de sa jupe, la jeune fille rejoignit ses amies, qui s'étaient regroupées derrière un tourniquet de cartes postales. Les fillettes entourèrent aussitôt Soledad en bourdonnant. Nicolas entendit des gloussements. Il y eut ensuite un petit silence puis un «Oh!» unanime lorsqu'elle sortit le collier vert de sa boîte.

Perdu dans ses émotions, le garçon enfourcha sa bécane et s'engagea dans la rue sans se rendre compte qu'il tournait le dos à son hôtel. Il fit donc demi-tour un peu plus loin et repassa devant l'essaim de filles. Au milieu d'elles, la petite reine riait, les yeux brillants, le collier vert attaché à son cou, masquant l'horrible ligne rouge.

Beaucoup plus léger qu'à l'aller, Nicolas pédala avec entrain jusqu'à l'hôtel Sol y Mar. Soledad lui avait pardonné. C'était inespéré. Les choses semblaient si simples pour elle : c'était noir ou c'était blanc! Mais lui, il venait d'apprendre qu'une infinité de gris nuançait tous les sentiments qui s'exprimaient. Il lui faudrait du temps… beaucoup de temps… pour accepter les plus sombres des siens.

Andréa avait terminé les bagages. Le bungalow était vide et avait retrouvé son harmonie anonyme. Les draps et les serviettes sales qui marquaient leur passage avaient été empilés par Rosa sur le trottoir de briques. La porte-fenêtre était largement ouverte sur la lumière bleue de la mer. Ce soir, demain, dans une semaine, d'autres vacanciers viendraient chercher ici leur part de rêve et d'exotisme. Certains iraient même jusqu'à acheter l'interdit. Sans regret, Nicolas tourna le dos à son paradis perdu et partit à la recherche d'Andréa.

Lorsqu'il passa devant les courts de tennis, Bellec venait tout juste de terminer sa partie. Il essuyait le manche de sa raquette avec une serviette, et de grosses gouttes de sueur dégoulinaient de son front. Nicolas le dévisagea avec haine, rageant contre son impuissance. Le Français sentit ce regard pesant sur sa nuque et se retourna lentement vers le jeune homme. Il eut un léger mouvement de recul lorsqu'il le reconnut, mais il resta imperturbable, sans exprimer d'émotion particulière. *« Tu ne perds rien pour attendre, mon salaud ! »*

La soirée était interminable. Les minutes s'écoulaient à une vitesse d'escargot. Pour la plupart des touristes, ce serait une soirée animée comme les autres, avec orchestre, spectacle, rires, danses… et tout le reste. Mais pour ceux qui partaient, c'était l'enfer. Une attente qui n'en finissait plus puisque la plupart des vols décollaient vers le Canada ou l'Europe entre deux et cinq heures du matin. Restait pour eux à tuer le temps.

Andréa et Emilio étaient plongés dans une furieuse partie de Scrabble, face à face, à une petite table du bar. Histoire de ne pas déroger à ses habitudes, plusieurs verres vides et poisseux étaient alignés à côté de l'Italien… ce qui ne l'empêchait pas de battre Andréa à plates coutures. Nicolas s'assit près de sa mère. Ils n'allaient pas être trop de deux pour contrer ce mangeur de spaghettis qui jonglait avec les subtilités de la langue française comme un vrai pro, en affichant une mine réjouie, exempte de la moindre modestie.

Andréa jeta un coup d'œil de biais à son fils. Il attrapa sa main sous la table et la lui serra doucement. «*Tout va bien, m'man! Je l'ai vue, je lui ai parlé. Ne te fais plus de souci avec tout ça! Allez, on se concentre, on va lui flanquer une peignée, à cet Italo ricaneur!*»

Ils perdirent la partie. Réclamèrent une revanche qu'ils perdirent aussi. Bon prince, Emilio les escorta jusqu'à la salle à manger et leur offrit une bouteille de vin qu'il éclusa presque à lui tout seul, Andréa se contentant d'une petit fond de coupe et Nicolas préférant le Perrier. «*Il boit comme un trou, ce mec!*»

Ils devisèrent comme trois vieux amis, parlant de tout et de rien, l'amitié ayant laborieusement éclos entre eux, au cours de ce voyage. Andréa continuerait d'ignorer ce qu'elle devait vraiment à Emilio Conti, mais elle avait deviné, dès le premier instant, toute la bonté et toute la sensibilité qui se cachaient derrière son allure de vieux macho fatigué.

Quant à Nicolas, après quelques minutes d'inquiétude, il comprit que l'Italien n'avait pas parlé à sa mère, que l'épisode matinal resterait entre eux comme un secret bien gardé. Il lui en fut très reconnaissant et le remercia d'un clin d'œil complice. Le reverrait-il un jour? Il n'en savait rien. Mais cet homme avait été là au bon moment et il avait trouvé les mots qu'il fallait... comme un guide... un envoyé du destin.

Comme chaque soir, Bellec fit son entrée dans la salle à manger alors que presque tout le monde l'avait désertée. Le trio interrompit sa conversation pour suivre sa haute silhouette élégante jusqu'au buffet. Chacun le percevait à sa façon, mais leurs regards exprimaient le même dégoût.

Nicolas se leva brusquement. Il savait enfin ce qu'il lui restait à faire.

— Je reviens dans deux minutes. J'ai quelque chose à finir...

Andréa voulut demander des précisions. Emilio posa une main sur son bras. Le jeune était responsable et intelligent. Il fallait lui faire confiance.

Nicolas galopa jusqu'au bungalow de Bellec. Comme il l'avait prévu, ses espadrilles de tennis étaient dehors, sur sa terrasse, séchant au clair de lune. Il s'en empara prestement, les cachant derrière son dos. D'un pas qui se voulait décontracté, il se perdit ensuite dans l'obscurité des jardins et fit un grand détour pour éviter la salle à manger et la piscine afin de rejoindre le lobby.

Personne à l'horizon! Son idée était géniale. Génial aussi, le bassin couvert de nénuphars avec son petit jet d'eau qui glougloutait paisiblement, surveillé par la sirène. Les espadrilles du Français flottèrent quelques secondes. Du bout de l'index, Nicolas les enfonça. Elles se remplirent d'eau et, comme dans un film au ralenti, coulèrent vers le fond invisible. Bien malin qui penserait à les chercher là, enfouies dans la vase et les débris végétaux en décomposition. Quelques bulles éclatèrent à la surface, bousculant un instant les feuilles brillantes des nénuphars, puis tout rentra dans l'ordre. Ni vu ni connu!

«Je sais! C'est puéril, c'est niaiseux! Mais c'est tout ce que j'ai trouvé pour le moment et ça me soulage. De quoi le faire

râler, ce vieux schnock ! Il va les chercher longtemps, ses godasses. Ça ne changera pas grand-chose à sa vie, mais, au moins, ça peut gâcher quelques heures de ses belles vacances. »

Plutôt fier de son coup, Nicolas se redressa. Derrière le kiosque d'accueil, Maria-Lucia le regardait, un petit sourire aux lèvres. Elle avait sûrement tout vu et peut-être même tout compris. Il avait oublié qu'elle vivait derrière son comptoir, vissée devant le téléphone, toujours pimpante, toujours disponible, toujours là pour répondre aux questions et aux désirs les plus saugrenus des *guests* distingués de l'hôtel Sol y Mar.

Un peu penaud, Nicolas mit l'index sur ses lèvres, la suppliant par là de ne rien dire. Elle hocha la tête avec malice, lui retournant le même geste avec grâce. C'était d'accord, elle ne parlerait pas. Elle ne le trahirait pas…

Le jeune homme s'était absenté à peine cinq minutes lorsqu'il reprit sa place à la table où sa mère et Émilio l'attendaient. Un peu plus loin, le Français mangeait tout seul à une table, le petit doigt en l'air, les yeux absents. La distinction en personne ! Une merde dans un polo Lacoste.

Nicolas souhaita de toutes ses forces que Soledad ne vienne pas le rejoindre ce soir. Après tout, elle avait droit à des nuits de congé, elle aussi. Il ne voulait plus la voir dans les bras de ce détraqué. Il n'était pas sûr de le supporter sans casser la baraque.

Onze heures ! Il leur restait encore trois heures à assassiner avant l'arrivée des autobus qui reconduisaient le troupeau des visages bronzés à l'aéroport. Nicolas et sa mère déménagèrent au bord de la piscine. L'Italo leur faussa compagnie et s'évanouit du côté du bar. Installée confortablement, Andréa s'endormit presque tout de suite. Le jeune homme ferma les yeux, mais il resta aux aguets, insensible à la douceur idéale de la nuit immobile.

10

Le retour

Nicolas retrouva sa chambre avec soula-
gement. Rien n'avait bougé, et il put croire,
un petit instant, qu'il n'avait pas bougé, lui
non plus.

Après avoir déposé son sac dans un coin,
l'adolescent se jeta sur son grand lit afin d'en
tester le confort et d'en faire grincer les
ressorts. L'ourson borgne qui l'avait accompagné durant toute son enfance était fidèle
au poste, assis sur la bibliothèque. Sur sa
table de travail, l'écran de veille de son ordi
affichait une envolée de fous de Bassan, pho-
tographiée par son père. Michel et Roxane
devaient sûrement être à l'affût de son appel,
ou encore ils l'attendaient déjà sur MSN. Le

plateau de sa table de travail était constellé d'un fouillis de pochettes et de disques lasers qu'il n'avait pas eu le temps de ranger avant son départ. Ses cahiers et ses livres de cours formaient sur le sol une pyramide impressionnante. Sur sa commode, il retrouva en vrac tous les vêtements qu'il n'avait pas choisi d'emporter.

Seuls, ses murs étaient vides – il détestait les posters –, à l'exception d'un papyrus ancien qu'Antoine lui avait rapporté d'Égypte. «*Home, sweet home!*» Les yeux au plafond, il lui vint soudain l'idée saugrenue qu'il fallait mettre un peu d'ordre dans sa chambre… Pas tout de suite… un peu plus tard.

Le voyage de retour s'était passé sans anicroche… à part une heure de retard au décollage, on ne savait trop pourquoi. Nicolas n'avait pas revu Soledad. Son souhait avait été exaucé. Ce soir-là, elle n'était pas venue, sur le coup de minuit, affoler de son charme irrésistible tous les cœurs solitaires de l'hôtel. Sans être capable de s'en empêcher, le jeune homme avait guetté pendant des heures le bruit de sa monture de fer, le son cristallin de son rire, le froufrou de sa robe à volants. Cendrillon était restée chez elle… et c'était mieux ainsi.

Bellec aussi l'avait attendue. Il avait passé la soirée à regarder son café refroidir. Les épaules voûtées, il avait quitté le bar lorsqu'il avait été sûr qu'elle ne viendrait plus. Seul. Aucune des filles qui étaient à l'hôtel, ce soir-là, ne pouvant rivaliser avec la grâce de Soledad. Là-dessus, au moins, Nicolas était d'accord.

Emilio avait été parfait. Il s'était chargé des bagages, avait fait apparaître comme par magie des boissons fraîches dans le petit aéroport étouffant où ils avaient poireauté, s'était démené comme un beau diable pour leur obtenir les meilleures places à l'avant, dans l'avion bondé. Sa voiture étant restée à l'aéroport, il avait tenu mordicus à les raccompagner jusqu'à la maison… Andréa l'avait invité à prendre un café… c'était la moindre des choses… Mais l'Italien avait décliné son offre. Il n'aimait pas les adieux. Il avait déposé les bagages dans le hall d'entrée… un baise-main à Andréa et une chaleureuse accolade au garçon, et il était parti, sans en demander davantage, retrouver ses démons quotidiens qu'il n'avait pas réussi à fuir, empochant sans un mot la carte de visite d'Andréa. *« Ciao, l'Italo ! J'espère qu'on se reverra. J'ai encore des choses à te dire. J'ai encore des choses à entendre. »*

Dans la maison tranquille et douillette, Nicolas percevait les petites musiques de sa mère. Elle chantonnait un air latino en épluchant des légumes pour une soupe. Une bonne odeur de muffins s'échappait du four et se glissait indiscrètement sous les portes. La machine à laver ronronnait au sous-sol. Il se sentait rassuré et prolongea son bien-être de quelques instants de paresse.

En soupirant, il se leva. Sur Hotmail, dix-huit messages l'attendaient. Rien d'important. Sa ligne privée clignotait. D'un doigt, il aurait pu replonger immédiatement dans le rythme habituel de sa vie, mais il avait besoin de silence. Il entreprit donc de vider son sac, entassant pêle-mêle vêtements sales et propres. Comme c'était lui qui lavait et pliait ses propres affaires, il ne voyait pas la nécessité de faire le tri.

Soudain, il sentit un paquet dur sous ses doigts. Enroulée dans plusieurs t-shirts, la sculpture vaudoue qu'il avait achetée au marché des artisans déboula sur le sol. Le jeune homme la déballa. C'était sûrement Andréa qui l'avait protégée ainsi, puisqu'il n'avait pas eu le temps de terminer ses bagages. Il l'avait complètement oubliée, celle-là. En faisant courir ses doigts sur le visage coiffé d'un crapaud, il remarqua qu'une mince fissure la balafrait, du coin de l'œil jusqu'au menton, zigzaguant sur la pierre blanche comme une larme. Pourtant, lorsqu'il l'avait achetée, elle était parfaite. Aucune ligne ne brisait son harmonie. Il en était sûr. Il revoyait encore l'expression mystérieuse du jeune *Black* qui la lui avait vendue. «Elle te portera chance, *amigo,* tant que tu la garderas avec toi.» Tu parles d'une protection! Mais il avait beau faire le cynique, une ridicule petite voix au fond de lui affirmait que c'était possible.

Nicolas réalisa brusquement qu'il ne rapportait pratiquement rien de ce voyage. Pas de photos, de cartes postales, de guide touristique, d'alcool exotique, de souvenir kitsch cher aux touristes normaux. Il n'avait que cette petite tête blanche et la larme de cristal azur qui n'avait pas quitté sa poche. Quant au visage de Soledad, il n'avait besoin d'aucune image pour s'en souvenir, car il était gravé à jamais dans son cœur.

Avec une certaine appréhension, il prit dans sa main la perle azur et la mira dans la lumière. À la base, un éclat avait explosé lorsqu'elle avait percuté le sol, modifiant ses proportions parfaites, mais l'anneau doré qui la retenait au reste du collier tenait encore bon. Il suffisait juste de le resserrer. Nicolas farfouilla dans ses tiroirs et en ramena un rouleau de fil à pêche. Enfilant la larme sur une grande longueur de fil, il la suspendit devant sa fenêtre. Immédiatement, le cristal capta le soleil frileux du printemps montréalais et sema des arcs-en-ciel irisés sur les murs de sa chambre.

Troublé, Nicolas regardait la perle de verre qui se balançait et la sculpture qu'il avait reprise dans sa main. La perle, c'était tout ce qui lui restait de Soledad et, en un certain sens, c'était aussi tout ce qu'elle représentait : la beauté, la fragilité, la grâce éphémère, la douleur… *«Petite Soledad du soleil… mon amour, ma blessure !»*

La sculpture, c'était lui, Nicolas Fromont, avec ce poids de crapaud sur la tête… toute cette tristesse qui le barbouillait… toutes ces questions qu'il n'était pas sûr de résoudre un jour… et cette longue cicatrice indélébile qui vieillissait son âme.

Note de l'auteure

Ce roman est né d'une révolte...

Je me souviens très bien de «l'incident» qui l'a provoquée. Il y a quelques années, l'émission *Le Point* à Radio-Canada nous a présenté une interview portant sur le tourisme sexuel en République Dominicaine. On y voyait, entre autres, un triste individu, la cinquantaine bien tassée, expliquer en long et en large sa passion pour les fillettes de dix à douze ans. Il était d'ailleurs accompagné de l'une d'elles, une belle petite aux yeux vifs, qui ne comprenait pas un mot de ce qu'il racontait. En toute impunité, ce respectable citoyen d'origine française tentait de justifier le honteux commerce auquel il se livrait par le fait qu'en France, son amour des petites filles l'aurait conduit tout droit en prison. Chaque année, il se payait donc de belles vacances, loin des lois de son pays, achetant et abusant sexuellement des enfants dont il aurait pu être… le grand-père.

Ce type était au-delà de tout sens moral. Pour lui, cette situation était normale. Après tout, il ne leur faisait que du bien à ces gamines, leur achetant des petits cadeaux et leur permettant, le temps de son séjour, de manger trois fois par jour.

J'étais sidérée, complètement bouleversée par le cynisme assumé de ce pédophile. Je me sentais terriblement concernée par le sort de ces petites de l'âge de ma fille. Que pouvais-je faire, moi, simple citoyenne, pour remettre les pendules à l'heure… mettre mon grain de sable dans cette monstrueuse machine ? J'ai cherché longtemps et finalement, quelques années plus tard, je me suis décidée à écrire ce livre après m'être copieusement documentée. Le personnage de Bellec, c'est le Français de cette interview. Quant à Soledad, la petite reine que j'ai ciselée comme un bijou, elle existe bel et bien, en multiples exemplaires, dans les îles du soleil où nous aimons oublier nos hivers, le temps de quelques jours.

Mais qu'en est-il au juste des lois ? Les enfants comme Soledad sont-elles protégées contre ceux qui les vendent et ceux qui les achètent ?

Au Canada, le Code criminel protège les enfants contre diverses formes d'exploitation sexuelle et bon nombre de ces dispositions ont été adoptées il y a plus de vingt ans. En 1997, on a modifié cette loi C-27 afin que les articles d'infractions d'ordre sexuel sur des mineurs soient très clairs. Entre autres :

Est coupable d'un acte criminel et passible d'en emprisonnement maximal de dix ans... toute personne qui, à des fins d'ordre sexuel, touche, directement ou indirectement, avec une partie de son corps ou avec un objet, une partie du corps d'un enfant âgé de moins de quatorze ans. (article 151)

Voilà pour le client. Quant au proxénète, il n'est pas oublié, lui non plus :

Est coupable d'un acte criminel et passible d'un emprisonnement maximal de dix ans quiconque, selon le cas, induit, tente d'induire ou sollicite... une personne à avoir des rapports sexuels illicites avec une autre personne, soit au Canada, soit à l'étranger (article 212 – 1 a)... induit ou tente d'induire une personne à se prostituer, soit au Canada, soit à l'étranger (article 212 – 1 d)... vit entièrement ou en partie des produits de la prostitution d'une autre personne. (article 212 – 1 j)

La peine d'emprisonnement prévue varie de cinq à quatorze ans si le proxénète vit de la prostitution d'une personne âgée de moins de dix-huit ans, s'il la force, l'intimide, la contraint ou use de violence de quelque façon que ce soit.

Cette loi canadienne, fort complète en apparence, doit pouvoir s'appliquer aisément dans les limites territoriales du Canada. Mais est-elle aussi efficace à l'extérieur du pays? On peut se poser la question, car le processus de mise en accusation devient beaucoup plus complexe.

Prenons, par exemple, le cas d'un client canadien d'une petite Soledad. Depuis la modification de 1997, tout citoyen canadien impliqué dans un délit d'exploitation sexuelle, commis à l'extérieur du Canada, est passible de poursuites criminelles. Mais – jusqu'à tout récemment – ces poursuites étaient engagées uniquement si le pays étranger où s'était passée l'offense en faisait la demande. La requête devait être faite au ministre fédéral de la Justice par l'intermédiaire d'un représentant diplomatique du Canada.

En fait, cette procédure reconnaissait la compétence du pays étranger dans sa façon d'exercer un contrôle sur ce qui se passe à l'intérieur de ses frontières. Le Canada ne s'ingérait pas dans ce contrôle, mais prévoyait des peines pour les Canadiens qui enfreignaient les lois de cet autre pays, car, dans l'idéal, tout citoyen respectueux des lois devrait se conduire ailleurs comme il se conduirait chez lui. Pas facile d'arriver à quelque chose de concret dans des conditions pareilles, surtout dans les cas de ces pays dont une partie de l'économie est basée sur le tourisme sexuel.

Sous la pression populaire, cette loi a été à nouveau modifiée en 2002. On a retiré la nécessité d'une plainte de la part des autorités étrangères, dans le but avoué de faciliter la poursuite de personnes impliquées dans le tourisme sexuel visant des enfants. La raison principale de cette modification, et elle est tout à fait légitime, c'est que l'exploitation sexuelle des enfants ne doit jamais être tolérée. Il ne doit pas y avoir de refuge possible pour les abuseurs, qu'ils soient clients ou proxénètes. Reste à savoir si ce resserrement de la loi aura l'effet escompté. Pour ce faire, il faudra y investir les efforts et les ressources nécessaires.

Combien de Canadiens ont-ils été poursuivis pour des délits d'ordre sexuel commis à l'étranger sur des mineurs depuis la mise en vigueur de cette modification de la loi en 2002? AUCUN! Et c'est navrant! Manque

de volonté politique ? Indifférence ? Laxisme ?…
Se poser la question, c'est y répondre.

Le plus ardu, évidemment, c'est de faire la preuve du délit dans le pays où celui-ci a eu lieu. Et lorsqu'on y parvient, de peine et de misère, les enfants impliqués doivent témoigner… à leurs risques et périls, contre des gens qui sont parfois leurs proches. Une fois le procès achevé, que deviennent ces jeunes ? On n'ose imaginer le sort qui les attendrait s'ils étaient rejetés à leur enfer quotidien.

Par bonheur, il existe plusieurs organismes d'aide internationale travaillant afin d'éradiquer la prostitution infantile. L'un des plus importants ECPAT International (End Child Prostitution and Child Pornography and Trafficking of Children for sexual Purposes), a vu le jour en Thaïlande mais s'est développé en un réseau d'organisations diverses incluant actuellement plus de quarante pays. Cet organisme prend en charge les enfants impliqués dans les procès, les protège, les soigne, les scolarise.

Sous l'égide de l'UNICEF (Fonds des Nations Unies pour l'Enfance) qui travaille aussi sur le terrain, un groupe de travail composé de représentants de divers états membres des Nations Unies et des représentants d'ONG a mis au point la Convention relative aux droits des enfants (CDE), premier instrument juridique international ayant force obligatoire, qui énonce toute la panoplie des droits civils, politiques, économiques, sociaux et culturels des enfants. *« Cette convention a été ratifiée par tous les pays du monde sauf deux, la Somalie et les États-Unis. Les gouvernements ont donc pris l'engagement de protéger et de garantir les droits des enfants de leur pays et ils ont accepté de devoir répondre devant la communauté internationale de la façon dont ils s'acquittent de cet engagement. »* (source UNICEF)

L'UNICEF estime qu'un million d'enfants par année, principalement des filles, sont forcés de se livrer à un commerce sexuel rapportant des milliards de dollars aux proxénètes qui les exploitent. La plupart du temps, ils sont leurrés par la promesse d'aller à l'école ou d'avoir «un bon job». Ces enfants de la *sex industry* sont de plus en plus jeunes à cause de la croyance erronée que leur jeunesse les empêche d'être infectés par le virus du sida. Ce qui est complètement faux, les enfants étant beaucoup plus fragiles que les adultes aux infections de toutes sortes. Il est très difficile pour eux de trouver de l'aide, car ils n'ont, la plupart du temps, aucun papier d'identité et sont donc «invisibles» au regard de la loi.

Les statistiques de l'UNICEF concernant le nombre de jeunes prostitués font frémir :

Bogota/Colombie : 3000 ;
Brésil : 500 000 ;
Sri Lanka : 20 000 ;
Inde : 400 000 ;
Phnom Penh/Cambodge : 10 000 ;
Thaïlande : 800 000
Afrique de l'ouest : 35 000 ;
États-Unis : 100 000.

Cette liste est loin d'être exhaustive, mais elle représente déjà des millions de jeunes vies sacrifiées pour le fric et le vice.

Selon UNICEF et ONAPLAN (chiffres de 1991), on estime qu'en République Dominicaine, le pays qui m'a inspiré l'histoire de Soledad, il y a environ 25 000 jeunes exploités sexuellement. La majorité d'entre eux ayant entre 12 et 17 ans, 67 % étant des filles et 33 % des garçons. Ils sont tous très pauvres, ne sont pas scolarisés et n'ont accès à aucun service social de base. Beaucoup de ces mineurs, travailleurs du sexe, proviennent d'Haïti, le pays voisin, et sont victimes de discrimination de la part des citoyens de la République Dominicaine qui les considèrent comme des moins que rien. Le scénario de Soledad est tout à fait réaliste, ces jeunes sollicitant les clients étrangers dans les casinos, les villages de vacances, les grands hôtels, les pubs, les restaurants et aussi sur les plages.

Je ne prétends pas répondre à toutes les questions avec ce roman. Au contraire. Mon texte est criblé de points d'interrogation. Mais j'espère qu'il te donnera l'envie, ami lecteur, d'aller plus loin, d'en savoir davantage, peut-être même de t'engager. Si j'ai réussi à toucher ta conscience et à ouvrir ton cœur, alors je n'ai pas perdu mon temps. Car, s'il est vrai que le problème de la pédophilie et du tourisme sexuel nous dépasse et nous assomme par son ampleur, ce n'est pas vrai que l'on ne peut rien faire et qu'il faut se croiser les bras. Notre silence équivaut à une complicité.

Même si je l'ai inventée de toutes pièces, m'inspirant de paysages aimés, de sourires entrevus ou de personnalités attachantes rencontrées au cours de voyages, cette histoire est vraie. Malheureusement! C'est un reflet de notre époque et nous sommes tous concernés. Soledad et Nicolas ont pris beaucoup de place dans ma vie. Je vois parfois la longue silhouette du garçon disparaître au coin de ma rue et les grands yeux d'ambre de ma petite Antillaise dans ma tasse de thé. Ils vivent avec moi depuis des mois et, malgré leur jeune âge, ils m'ont beaucoup aidée à grandir.

Angèle DELAUNOIS

Quelques sites Internet
à consulter
pour en savoir davantage

ECPAT International :
http ://www.ecpat.net

BEYOND BORDERS (Canada) :
http ://www.beyondborders.org/

Focal Point contre l'exploitation sexuelle
des enfants :
http ://www.focalpointngo.org/

INTERPOL :
http ://www.interpol.com/

UNICEF :
http ://www.unicef.org/sexual-exploitation/

Bureau international des droits des enfants :
http ://www.ibcr.org

Petit lexique
Espagnol-Français

Adiós : adieu, au revoir
Ahora : maintenant
A la próxima : à la prochaine
Amigo : ami
Bisutería : boutique de fantaisie
Buenas días : bonjour
Chica : petite
Con : avec
Español : espagnol
Es para ti : c'est pour toi
Está bien : c'est bien
Es evidente : c'est évident
Es todo : c'est tout
Gracias : merci
Guapa senorita : jolie demoiselle
Hablar : parler
Hermano : frère
Hotel Sol y Mar : hôtel Soleil et Mer
Madre : mère
Mama : maman
Mucho : beaucoup
Muchas gracias : merci beaucoup
Nada : rien

Nativos : natifs (autochtones)
No es mucho : ce n'est pas beaucoup
No es posible : ce n'est pas possible
No puedo : je ne peux pas
No me gusta : je n'aime pas ça
No me olvides : ne m'oublie pas
Piña : ananas
Por : pour
Por favor : s'il te plaît
¿ Por qué ? : pourquoi ?
¿ Quiere bailar usted ? : Voulez-vous danser ?
Quince dólares : quinze dollars
Señor : monsieur
Señora : madame
Señorita : mademoiselle
Sí : oui
También : aussi
Te quiero : je t'aime
Todo el día : toute la journée
Todo lo que es importante : tout ce qui est important
Touristas : touristes
Trabajo : travail
Vamos : allons-y

TABLE DES CHAPITRES

ANGÈLE

DELAUNOIS

Angèle Delaunois ne craint aucun défi. Scandalisée par une entrevue télévisée où un pédophile exposait, en toute impunité, ses préférences et ses vices, elle a décidé de poser un geste public pour briser le silence qui entoure les voyages vers les destinations où les jeunes, filles et garçons, sont traités comme des objets de consommation. *Soledad du soleil* est l'aboutissement d'une réflexion qui a duré plusieurs années. Intense et dur, ce roman est un appel à tous les gens de bonne volonté, les jeunes en particulier, afin de faire bouger les choses. Angèle Delaunois est éditrice pour la jeunesse aux Éditions Pierre Tisseyre.

Collection Conquêtes